D1164479

Du plaisir à bien manger...

80 recettes gagnantes
pour les familles

Du plaisir
à bien manger...

80 recettes gagnantes
pour les familles

Nathalie Regimbal Dt.P.
Nutritionniste, membre de l'Ordre professionnel
des diététistes du Québec.

L'auteure, Nathalie Regimbal, est nutritionniste professionnelle
et mère de 3 jeunes enfants. Elle a élaboré des menus variés
et de qualité dans plusieurs centres de la petite enfance (CPE)
en plus d'avoir œuvré plus de 5 ans auprès des mamans au
Centre hospitalier de Lasalle. Régulièrement invitée à animer
des ateliers auprès des parents et des spécialistes de la petite
enfance, madame Regimbal est la collaboratrice exclusive pour
le volet nutrition sur le site Internet *Vie de famille* et le magazine
web *Mères & cie*. Préoccupée par l'alimentation des enfants et
son impact sur leur santé physique et mentale, Nathalie se consacre maintenant à supporter les familles à découvrir et redé-
couvrir le plaisir de bien manger.

1275, du Boisé
Boucherville (Québec)
J4B 8W5
Téléphone : (450) 449-6175 Télécopieur : (450) 449-0304

www.duplaisirabienmanger.com
nregimbal@duplaisirabienmanger.com

Conception graphique et mise en page : Marilou Régimbal, Pazapa

Coordination : Stéphane Simard et Nathalie Regimbal

Responsable du service alimentaire : Manon Valade

Photographie : Magalie Queval et Julie Robillard

Impression : Imprimerie Dumaine

Publié par Viséo Solutions

*Tous droits réservés. Toute reproduction en tout ou en partie, par quelque procédé que ce soit,
est strictement interdite sans l'autorisation écrite de l'auteure.*

ISBN 978-2-9809681-0-5

Imprimé au Canada
© Viséo Solutions, 2007
2ème édition, 2007
Dépôt légal – 1er trimestre 2007
Bibliothèque nationale et archives du Québec
Bibliothèque nationale et archives du Canada

Table des matières

Remerciements

Je désire remercier madame Brigitte Demers, directrice du CPE de Boucherville, madame Sophie Morin, présidente ainsi que tous les autres membres du conseil d'administration du CPE de Boucherville pour leur confiance et leur support.

Merci à madame Manon Valade, responsable du service alimentaire du CPE de Boucherville pour sa grande collaboration à l'élaboration du livre de recettes et à Natalie Bédard pour la révision de la section « les collations et les desserts ».

Merci à madame Pauline Marois d'avoir accepté, sans hésiter, de supporter et de collaborer à notre projet malgré une retraite fort occupée...

Merci à madame Annie Brisson, madame Diane Jubinville et monsieur Dominique Bourdeau de Minigo Yoplait qui agit à titre de présentateur.

Merci à madame Nancy Fortier de Soylutions qui agit à titre de partenaire.

Merci à Jean-Marc Paquet de Imprimerie Dumaine qui agit à titre de collaborateur.

Merci à madame Marilou Régimbal de Pazapa design graphique pour sa grande implication et son dévouement. Je tiens aussi à souhaiter la bienvenue à son poupon, Antoine, qui est né durant la réalisation du livre.

Merci à madame Véronique Berthiaume de Communications Buzz qui gère nos relations de presse avec grand professionnalisme.

Merci à Richard Tanguay de Vision synergie pour la grande qualité du site Internet www.duplaisirabienmanger.com.

Merci à Catherine Lavergne, stagiaire en nutrition de l'Université de Moncton, supervisée par la nutritionniste/diététiste Marise Charron, présidente du Groupe Harmonie Santé, pour leur précieux support dans le calcul des valeurs nutritives.

Merci aux nombreuses familles et à toutes les éducatrices du CPE de Boucherville qui ont participé au projet.

Merci à mon amoureux, Stéphane Simard, auteur et conférencier, pour ses nombreux conseils.

Merci à mes merveilleux enfants, Aurélie, Émile et Antoine pour m'avoir inspiré à m'investir autant dans cette belle aventure.

Préface

Pauline Marois est considérée comme la mère des centres de la petite enfance au Québec. À titre de ministre de la Famille et de l'Enfance au sein du gouvernement du Québec, elle a instauré en 1997, une politique familiale dont les CPE représentaient la pièce maîtresse.

Lors de la mise en place des CPE, nous avions choisi d'offrir aux familles un service de garde éducatif de qualité. Aujourd'hui, les CPE constituent un véritable réseau d'éducation préscolaire. Un projet social et surtout, une réussite qu'on nous envie à travers le monde ! Malheureusement, les récentes coupures drastiques dans leur financement menace sérieusement la qualité des services de garde éducatifs offerts aux enfants dans les CPE du Québec.

Le présent ouvrage poursuit un double objectif : amasser des fonds pour votre CPE afin qu'il puisse continuer d'offrir des activités éducatives de qualité tout en favorisant le développement de saines habitudes alimentaires au CPE comme à la maison.

Nous avons une grande influence sur le comportement et les préférences alimentaires à long terme des enfants. Je suis persuadée que les recettes partagées par Manon et présentées par Nathalie vous aideront à continuer à offrir de la nourriture variée, de qualité et appétissante, autant dans les CPE qu'à la maison.

Je suis fière de vous présenter cet ouvrage qui apporte un soutien à toutes les familles qui concilient le travail et la famille et qui ont à cœur la saine alimentation de leurs jeunes enfants. Je tiens aussi à rendre hommage à tous les intervenants du réseau des CPE du Québec qui placent à tous les jours les enfants au cœur de leurs préoccupations.

Je vous remercie de supporter votre CPE dans ses actions qui ont pour but premier de créer le meilleur milieu de vie qui soit pour nos enfants et où tout est mis en œuvre pour offrir des activités éducatives de qualité.

Bonne cuisine !

Valeur nutritive

Nous avons apposé des icônes pour reconnaître facilement les qualités nutritives des recettes (protéines, vitamine C, fer et calcium). La valeur nutritive de chacune des recettes se retrouve sur le site www.duplaisirabienmanger.com. Aussi, sachant que plusieurs enfants souffrent d'allergies aux œufs et à leurs dérivés, nous avons identifié les recettes sans ces allergènes.

Une portion de la recette fournit au moins 15 g de protéines. Les protéines jouent un rôle important, entre autres, aux niveaux musculaire, sanguin, squelettique et énergétique.

Une portion de la recette fournit au moins 5 % de la valeur quotidienne en vitamine C. La vitamine C contribue plus particulièrement à la cicatrisation des blessures et à l'absorption du fer.

Une portion de la recette fournit au moins 5 % de la valeur quotidienne en fer. Le fer sert, entre autres, à la libération de l'énergie et à la formation du sang.

Une portion de la recette fournit au moins 5 % de la valeur quotidienne en calcium. Le calcium est un minéral essentiel à la structure des os et des dents.

Recette sans œufs ou sans ses dérivés. Soyez vigilant lorsque vous préparez une recette à partir d'aliments préparés (ex. : biscuits Social thé, biscuits soda, etc.) Étant donné que les fabricants peuvent modifier la composition d'un produit sans préavis, il est préférable de vérifier la liste des ingrédients à chaque fois que vous achetez un produit.

Mot de la responsable du service alimentaire

Mot de la nutritionniste

les salades, les soupes et les sandwichs

Recettes	Par portion de...	Calories	Protéines (g)	Glucides (g)	Lipides (g)	Fer (mg)	Calcium (mg)
LES SALADES							
Salade de bébés épinards	250 ml	45	1	4	2,5	0,93	35,1
Salade de betteraves et de mandarines	250 ml	180	2	32	5,0	0,53	59,8
Salade de carottes	250 ml	120	1	16	6,0	0,42	42,0
Salade de chou et de fromage cheddar	125 ml	100	4	4	7,0	0,67	118,4
Salade de chou rouge et de carottes	125 ml	60	1	6	4,0	0,27	19,7
Salade de pommes trois couleurs	250 ml	130	1	19	6,0	0,21	10,6
Salade de crevettes et de cantaloup	250 ml	180	18	6	9,0	2,90	40,7
Salade de pâtes de la récolte d'été	250 ml	210	8	35	4,0	1,90	64,3
Quinoa, oranges et canneberges en salade	250 ml	500	13	79	15,0	8,80	81,8
LES SOUPES							
Potage à la carotte	250 ml	120	4	12	6,0	0,69	54,5
Chaudrée de poisson	250 ml	190	17	21	4,0	0,89	97,5
Potage à la courge et à l'ail rôti	250 ml	180	4	34	3,0	1,86	147,3
Soupe à l'oignon gratinée	250 ml	290	14	32	12,0	1,74	276,9
Minestrone aux haricots rouges	250 ml	230	13	40	2,0	3,78	66,2
Soupe aux tortellinis	250 ml	190	7	27	6,0	0,92	79,3
LES SANDWICHS							
Bruschettas	1 portion	35	2	3	1,5	0,35	49,2
Salsa	25 ml	10	0	2	0,4	0,11	6,9
Garniture à sandwich au poulet	50 ml	70	8	1	4,0	0,45	14,8
Garniture à sandwich au veau	50 ml	60	7	1	3,0	0,33	11,9
Garniture à sandwich au tofu	50 ml	80	6	3	4,5	1,00	240,9
Garniture à sandwich aux pois chiches	50 ml	110	4	11	6,0	1,19	30,1

À cette salade, j'ajoute du fromage et des croûtons maison. Elle peut accompagner les omelettes, les pains végétariens et la tarte au poisson gratinée.

Salade de bébés épinards

FAMILIAL (6 portions de 250 ml)		GROUPE (80 enfants)
1,5 l (6 tasses)	De bébés épinards (lavés et égouttés)	6 à 8 sacs (format épicerie)
SAUCE À SALADE		
125 ml (1/2 tasse)	De jus de pomme	1 l à 1,25 l
25 ml (2 c. à table)	D'huile	250 ml
25 ml (2 c. à table)	D'eau	250 ml
1 gousse	D'ail émincée	Au goût
5 ml (1 c. à thé)	De jus de citron	Au goût
5 ml (1 c. à thé)	De sucre	Au goût
1 ml (1/4 c. à thé)	D'épices à salade	Au goût
Au goût	Sel et poivre	Au goût

1. Dans un saladier, mettre les bébés épinards.

SAUCE À SALADE

2. Dans un petit bol, mettre le jus de pomme, l'huile, l'eau, l'ail, le jus de citron, le sucre et les épices à salade.

3. Mélanger jusqu'à ce que le sucre soit dissous. Assaisonner au goût.

4. Verser la sauce sur la salade, mélanger et servir.

Au lieu d'offrir simplement des betteraves avec le pâté chinois, offrez cette savoureuse salade. Vous pouvez y ajouter un peu de chou vert haché ou des pois chiches. Aussi, pour faire changement, remplacer les betteraves par des petits bouquets de choux-fleurs ou de brocolis.

Salade de betteraves et de mandarines

FAMILIAL (5 portions de 250 ml)		GROUPE (80 enfants)
1 (398 ml/14 oz liq)	Boîte de betteraves égouttées	1 (3 l/100 oz)
3 x (284 ml/10 oz liq)	Boîtes de mandarines égouttées	2 x (3 l/100 oz)

SAUCE À SALADE		
125 ml (1/2 tasse)	De jus d'orange	1 l à 1,25 l
25 ml (2 c. à table)	D'huile	250 ml
25 ml (2 c. à table)	D'eau	250 ml
1 gousse	D'ail émincée	Au goût
5 ml (1 c. à thé)	De sucre	Au goût
2 ml (1/2 c. à thé)	D'épices à salade	Au goût
Au goût	Sel et poivre	Au goût

1. Dans un saladier, mettre les betteraves et les mandarines.

SAUCE À SALADE

2. Dans un petit bol, mettre le jus d'orange, l'huile, l'eau, l'ail, le sucre et les épices à salade. Mélanger jusqu'à ce que le sucre soit dissous.

3. Assaisonner au goût. Verser la sauce sur la salade, mélanger et servir. Vous pouvez laisser mariner la salade de une à trois heures au réfrigérateur.

Qu'elle soit crue ou cuite, la carotte est une excellente source de vitamine A reconnue pour ses effets bénéfiques sur la vision.

Salade de carottes

FAMILIAL (4 portions de 250 ml)		GROUPE (80 enfants)
1 l (4 tasses)	De carottes pelées, râpées finement	5 à 7 kg
SAUCE À SALADE		
125 ml (1/2 tasse)	De jus d'orange	1 l à 1,25 l
25 ml (2 c. à table)	D'huile	250 ml
25 ml (2 c. à table)	D'eau	250 ml
1 gousse	D'ail émincée	Au goût
5 ml (1 c. à thé)	De sucre	Au goût
2 ml (1/2 c. à thé)	D'épices à salade	Au goût
Au goût	Sel et poivre	Au goût

1. Dans un saladier, mettre les carottes.

SAUCE À SALADE

2. Dans un petit bol, mettre le jus d'orange, l'huile, l'eau, l'ail, le sucre et les épices à salade. Mélanger jusqu'à ce que le sucre soit dissous.

3. Verser la sauce sur la salade. Assaisonner au goût. Bien mélanger.

Note : Pour diminuer les risques d'étouffement, la salade peut être préparée de une à trois heures avant d'être servie.

L'image d'une assiette santé se décrit ainsi : la viande, la volaille ou le poisson doit occuper 1/4 de votre assiette, le produit céréalier ou le féculent (pomme de terre) doit occuper 1/4 de votre assiette et le légume doit occuper 1/2 de votre assiette.

Salade de chou et de fromage cheddar

FAMILIAL (6 portions de 125 ml)		GROUPE (80 enfants)
500 ml (2 tasses)	De chou râpé finement	4 à 6 unités
125 ml (1/2 tasse)	De fromage cheddar râpé grossièrement	1 kg
1 branche	De céleri hachée	1 pied
2	Oignons verts hachés	12
50 ml (1/4 tasse)	Persil frais haché	375 ml
SAUCE À SALADE		
25 ml (2 c. à table)	De mayonnaise	Au goût
50 ml (1/4 tasse)	De yogourt nature	Au goût
5 ml (1 c. à thé)	De sucre	Facultatif
5 ml (1 c. à thé)	De graines de céleri	Facultatif
Au goût	Sel et poivre	Au goût

1. Dans un saladier, mettre le chou, le fromage, le céleri, les oignons verts et le persil.

2. Dans un petit bol bien mélanger la mayonnaise, le yogourt, le sucre et les graines de céleri.

3. Verser la sauce sur la salade. Assaisonner au goût. Bien mélanger.

Note : Pour diminuer les risques d'étouffement, la salade peut être préparée de une à trois heures avant d'être servie.

 Substituer la mayonnaise par une mayonnaise à base de tofu, par de la crème sûre ou par du yogourt.

Le Guide alimentaire canadien recommande de consommer une petite quantité : de 30 ml à 45 ml (environ 2 à 3 c. à table) de lipides insaturés chaque jour. Vous pourriez choisir, entre autres, l'huile d'olive, l'huile de canola ou l'huile de noisette.

Salade de chou rouge et de carottes

FAMILIAL (8 portions de 125 ml)		GROUPE (80 enfants)
500 ml (2 tasses)	De chou rouge râpé finement	4 à 6
500 ml (2 tasses)	De carottes pelées, râpées grossièrement	2,2 kg
SAUCE À SALADE		
75 ml (1/3 tasse)	De jus d'orange	1 l à 1,25 l
15 ml (1 c. à table)	D'huile	250 ml
15 ml (1 c. à table)	D'eau	250 ml
1 gousse	D'ail émincée	1 gousse
25 ml (2 c. à table)	De mayonnaise	Au goût
5 ml (1 c. à thé)	De sucre	Au goût
2 ml (1/2 c. à thé)	D'épices à salade	Au goût
Au goût	Sel et poivre	Au goût

1. Dans un saladier, mettre le chou et les carottes.

SAUCE À SALADE

2. Dans un petit bol, mettre le jus d'orange, l'huile, l'eau, l'ail, la mayonnaise, le sucre et les épices à salade. Mélanger jusqu'à ce que le sucre soit dissous.

3. Verser la sauce sur la salade. Assaisonner au goût. Bien mélanger.

Note : Pour diminuer les risques d'étouffement, la salade peut être préparée de une à trois heures avant d'être servie.

 Substituer la mayonnaise par une mayonnaise à base de tofu, par de la crème sûre ou par du yogourt.

Pour diminuer le risque d'étouffement, la Société canadienne de pédiatrie suggère d'offrir des pommes en morceaux et sans pelure jusqu'à l'âge de 2 ans. Entre l'âge de 2 à 4 ans, la pomme peut être servie entière mais toujours sans pelure.

Salade de pommes trois couleurs

FAMILIAL (4 portions de 250 ml)		GROUPE (80 enfants)
SAUCE À SALADE		
125 ml (1/2 tasse)	De jus d'orange	1 l à 1,25 l
25 ml (2 c. à table)	D'huile	250 ml
25 ml (2 c. à table)	D'eau	250 ml
1 gousse	D'ail émincée	Au goût
5 ml (1 c. à thé)	De sucre	Au goût
2 ml (1/2 c. à thé)	D'épices à salade	Au goût
Au goût	Sel et poivre	Au goût
SALADE		
1 de chaque	Pomme rouge, pomme verte, pomme jaune, lavées et coupées en dés	8 de chaque
1 laitue romaine ou laitue Boston	Pomme de laitue, lavée et parée	3 laitues Iceberg 2 laitues en feuilles 2 laitues frisées

1. Dans un saladier, mettre le jus d'orange, l'huile, l'eau, l'ail, le sucre et les épices à salade. Mélanger jusqu'à ce que le sucre soit dissous. Assaisonner au goût.

2. Parer les pommes et les mettre immédiatement dans la sauce à salade.

3. Ajouter la laitue et mélanger.

4. Rectifier l'assaisonnement et servir.

 La crevette est riche en vitamine B12, essentielle au bon fonctionnement du système nerveux.

Salade de crevettes et de cantaloup

FAMILIAL (9 portions de 250 ml)

750 g (1 1/2 lb)	De crevettes cuites décortiquées et déveinées
500 ml (2 tasses)	De cantaloup pelé, épépiné et coupé en cubes
75 ml (1/3 tasse)	D'oignon rouge haché finement
1	Avocat pelé, dénoyauté et coupé en morceaux

SAUCE À SALADE	
50 ml (1/4 tasse)	De vinaigre de cidre
50 ml (1/4 tasse)	De jus de lime
50 ml (1/4 tasse)	D'huile d'olive
Au goût	Sel et poivre

1. Dans un saladier, mettre les crevettes, le cantaloup, l'oignon rouge et l'avocat.

SAUCE À SALADE

2. Dans un petit bol, mettre le vinaigre de cidre, le jus de lime et l'huile d'olive. Assaisonner au goût. Mélanger à l'aide d'un fouet.

3. Verser la sauce sur la salade, mélanger et servir.

Salade de pâtes de la récolte d'été

FAMILIAL (8 portions de 250 ml)

250 g (1/2 lb)	De pâtes alimentaires de blé entier (courtes)
175 ml (3/4 tasse)	De haricots verts hachés
125 ml (1/2 tasse)	De courgettes jaunes tranchées
125 ml (1/2 tasse)	De courgettes vertes tranchées
125 ml (1/2 tasse)	De carottes pelées, hachées finement
125 ml (1/2 tasse)	De poivrons rouges en lamelles
1	Grosse tomate hachée
50 ml (1/4 tasse)	De ciboulette hachée
50 ml (1/4 tasse)	D'olives noires coupées en deux
25 ml (2 c. à table)	De basilic frais haché (5 ml de basilic séché)

SAUCE À SALADE

50 ml (1/4 tasse)	De jus de citron
25 ml (2 c. à table)	D'huile d'olive
5 ml (1 c. à thé)	De moutarde à l'ancienne
1 gousse	D'ail émincée
Au goût	Sel et poivre

1. Dans une grande casserole d'eau bouillante, cuire les pâtes jusqu'à ce qu'elles soient al dente. Rincer sous l'eau froide et égoutter.

2. Dans un saladier, mettre les pâtes alimentaires cuites. Ajouter les haricots verts, les courgettes, les carottes, les poivrons rouges, la tomate, la ciboulette, les olives noires et le basilic.

SAUCE À SALADE

3. Dans un petit bol, mettre le jus de citron, l'huile d'olive, la moutarde et l'ail.

4. Verser la sauce sur la salade. Bien mélanger. Assaisonner au goût.

5. Mettre au réfrigérateur environ 1 heure si vous désirez des légumes moins croquants.

6. Au moment de servir, rectifier l'assaisonnement.

Le quinoa contient plus de protéines que la plupart des céréales.

Quinoa, oranges et canneberges en salade

FAMILIAL (6 portions de 250 ml)

250 ml (1 tasse)	De quinoa
250 ml (1 tasse)	De concombre pelé en dés
125 ml (1/2 tasse)	De canneberges séchées
2	Oranges pelées coupées en morceaux
50 ml (1/4 tasse)	De graines de tournesol
50 ml (1/4 tasse)	D'oignons rouges hachés finement

SAUCE À SALADE	
50 ml (1/4 tasse)	D'huile d'olive
15 ml (1 c. à table)	De jus de lime
5 ml (1 c. à thé)	De zeste de lime
5 ml (1 c. à thé)	De sucre
Au goût	Sel et poivre

1. Rincer le quinoa à l'eau froide et égoutter.

2. Dans une grande casserole, porter à ébullition 500 ml (2 tasses) d'eau. Ajouter le quinoa en remuant. Réduire le feu, couvrir et laisser mijoter pendant 15 minutes ou jusqu'à ce que l'eau soit absorbée et que le quinoa soit transparent. Égoutter et laisser refroidir.

3. Dans un saladier, mettre le quinoa, le concombre, les canneberges, les oranges, les graines de tournesol et l'oignon rouge.

SAUCE À SALADE

4. Dans un petit bol, mélanger l'huile d'olive, le jus de lime, le zeste de lime et le sucre.

5. Verser la sauce sur la salade. Bien mélanger. Assaisonner au goût.

Une fois le contenant ouvert, le tofu mou se conserve 2 à 3 jours au réfrigérateur dans son emballage hermétiquement fermé.

Cette recette est très riche en vitamine A. Une seule portion couvre 60% de la valeur quotidienne.

Potage à la carotte

FAMILIAL (6 portions de 250 ml)		GROUPE (80 enfants)
15 ml (1 c. à table)	D'huile	Facultatif
2 gousses	D'ail émincées	Facultatif
4 branches	De céleri haché	2 pieds
750 ml (3 tasses)	Carottes pelées, hachées (ou tout autre légume frais ou surgelé)	6 à 8 kg
1	Oignon haché	1 kg
500 ml (2 tasses)	De bouillon de légumes ou d'eau	Suffisamment pour recouvrir les légumes
1	Paquet de tofu mou soyeux (environ 340 g/12 oz)	6
Au goût	Sel et poivre	Au goût

1. Dans une grande casserole, faire chauffer l'huile à feu moyen-vif et faire revenir l'ail, le céleri, les carottes et l'oignon 3 minutes ou jusqu'à ce que l'oignon soit tendre.

2. Ajouter le bouillon (ou l'eau). Amener à ébullition. Réduire le feu, couvrir et laisser mijoter pendant 10 minutes.

3. Ajouter le tofu et cuire 5 minutes ou jusqu'à ce que le potage soit chaud.

4. Réduire en purée au robot culinaire ou au plongeur (si désiré). Assaisonner.

Note : Pour le format de groupe, nous vous suggérons à l'étape 2 de réduire en purée les légumes au plongeur et à l'étape 3, de réduire en purée le tofu mou avec un peu de lait au robot culinaire.

 Les poissons gras (saumon, hareng, maquereau, etc.) sont une source de vitamine D. Cette vitamine aide à l'absorption du calcium. Donc, en offrant ces poissons à nos enfants en pleine croissance, nous maintenons la bonne santé de leurs os et de leurs dents.

Chaudrée de poisson

FAMILIAL (10 portions de 250 ml)		GROUPE (80 enfants)
15 ml (1 c. à table)	D'huile	125 ml
1	Oignon haché	1 kg
1 branche	De céleri hachée	1 ou 2 pieds
1 gousse	D'ail émincée	3 gousses
1	Carotte pelée, tranchée	2 kg
3	Grosses pommes de terre pelées et coupées en cubes	10 à 12
25 ml (2 c. à table)	De farine	175 ml
500 ml (2 tasses)	De bouillon de poulet	Assez de liquide pour obtenir la texture désirée
500 ml (2 tasses)	De lait	Assez de liquide pour obtenir la texture désirée
500 ml (2 tasses)	De brocoli en petits bouquets ou un mélange de légumes (frais ou surgelés)	4 kg
500 g (1 lb)	De poisson coupé	5 kg
1 (341 ml/12 oz)	Boîte de maïs égouté	Au goût
Au goût	Sel et poivre	Au goût

1. Dans une grande casserole, faire chauffer l'huile à feu moyen. Faire revenir l'oignon, le céleri et l'ail environ 3 minutes ou jusqu'à ce que l'oignon soit tendre.

2. Ajouter la carotte et les pommes de terre. Brasser et cuire 2 minutes.

3. Saupoudrer de farine, remuer et ajouter le bouillon de poulet. Amener à ébullition et cuire environ 10 à 15 minutes ou jusqu'à ce que les légumes soient cuits.

4. Ajouter le lait, le brocoli, le poisson et le maïs puis cuire 5 minutes. Assaisonner.

 La courge d'hiver, telle que la courge musquée, est riche en vitamine A. Cette vitamine joue, entre autres, un rôle dans la croissance osseuse.

Potage à la courge et à l'ail rôti

FAMILIAL (4 portions de 250 ml)

1	Courge musquée d'environ 1 kg (pour obtenir environ 1,25 l (5 tasses) de courge cuite coupée en gros morceaux)
5 ml (1 c. à thé)	D'huile d'olive
4 gousses	D'ail non pelées
5 ml (1 c. à thé)	D'huile d'olive
250 ml (1 tasse)	D'oignons hachés
1 ml (1/4 c. à thé)	De gingembre moulu
1 ml (1/4 c. à thé)	De poudre de cari
Une pincée	De piment de Cayenne moulu
500 ml (2 tasses)	De bouillon de poulet
Au goût	Sel et poivre

1. Préchauffer le four à 180 °C (350 °F).

2. Couper la courge en deux dans le sens de la longueur. Badigeonner la chair de la courge avec 5 ml d'huile d'olive.

3. Déposer la courge et les gousses d'ail dans un plat allant au four. Cuire pendant 45 minutes. Refroidir. Couper la courge en gros morceaux et peler les gousses d'ail. Réserver.

4. Dans une grande casserole, faire chauffer l'huile d'olive à feu moyen et faire revenir l'oignon, le gingembre, le cari et le piment de Cayenne 3 minutes ou jusqu'à ce que l'oignon soit tendre. Ajouter le bouillon de poulet, la chair de la courge et les gousses d'ail. Amener à ébullition. Réduire le feu, couvrir et laisser mijoter pendant 10 minutes.

5. Au robot culinaire ou au plongeur, réduire jusqu'à consistance lisse. Assaisonner et servir.

Pour limiter la quantité de sel et de matières grasses consommée, choisissez un bouillon allégé en sodium et sans gras.

Soupe à l'oignon gratinée

FAMILIAL (8 portions de 250 ml)

15 ml (1 c. à table)	D'huile
2 litres (8 tasses)	D'oignons émincés
1,5 litre (6 tasses)	De bouillon de bœuf
125 ml (1/2 tasse)	De jus de tomate
Au goût	Sauce Worchestershire
Au goût	Sel et poivre
8	Tranches de pain de blé entier, grillées
500 ml (2 tasses)	De fromage Suisse grossièrement râpé

1. Dans une grande casserole, faire chauffer l'huile à feu moyen. Faire revenir les oignons 10 minutes ou jusqu'à ce qu'ils soient transparents.

2. Ajouter le bouillon de bœuf, le jus de tomate et la sauce Worchestershire. Amener à ébullition. Réduire le feu, couvrir et laisser mijoter pendant 20 minutes, en brassant de temps à autre. Assaisonner.

3. Disposer les tranches de pain grillées sur une plaque. Recouvrir le pain de fromage et faire griller au four jusqu'à ce que le fromage soit fondu.

4. Verser la soupe dans les bols. Placer le pain gratiné sur la soupe.

Chaque portion de cette soupe contient 13 g de protéines, une foule de vitamines et de minéraux. En l'accompagnant d'un produit céréalier à grains entiers et de garniture à sandwich à base de légumineuses, de viande ou de volaille, vous comblerez tous vos besoins nutritifs pour ce repas.

Minestrone aux haricots rouges

FAMILIAL (12 portions de 250 ml)

15 ml (1 c. à table)	D'huile d'olive
1	Gros oignon haché
2 branches	De céleri hachées finement
5 ml (1 c. à thé)	De basilic séché
5 ml (1 c. à thé)	D'origan séché
2 gousses	D'ail émincées
500 ml (2 tasses)	D'eau
2 (10 oz/284 ml)	Boîtes de bouillon de bœuf concentré
1 (19 oz/540 ml)	Boîte de tomates en dés non égouttées
1	Pomme de terre pelée et hachée
75 ml (1/3 tasse)	De macaroni de blé entier non cuit
1 emballage (300 g)	De macédoine de légumes surgelés
1 (540 ml/19 oz)	Boîte de haricots rouges, égouttés et rincés
Au goût	Sel et poivre

1. Dans une grande casserole, faire chauffer l'huile d'olive à feu moyen-vif et faire revenir l'oignon et le céleri 3 minutes ou jusqu'à ce que l'oignon soit tendre.

2. Ajouter le basilic, l'origan et l'ail puis cuire pendant environ 2 minutes.

3. Ajouter l'eau, le bouillon et les tomates. Amener à ébullition.

4. Ajouter la pomme de terre et les pâtes. Réduire le feu, couvrir et laisser mijoter pendant 10 minutes, en brassant de temps à autre.

5. Ajouter la macédoine et les haricots rouges et laisser mijoter 5 minutes ou jusqu'à ce que la soupe soit chaude.

Soupe aux tortellinis

FAMILIAL (7 portions de 250 ml)

15 ml (1 c. à table)	D'huile
1	Oignon haché finement
1 gousse	D'ail émincée
500 ml (2 tasses)	De carottes pelées, hachées
175 ml (3/4 tasse)	De céleri haché
1 litre (4 tasses)	De bouillon de poulet
15 ml (1 c. à table)	De jus de citron
2 ml (1/2 c. à thé)	De basilic séché
2 ml (1/2 c. à thé)	De thym séché
500 ml (2 tasses)	De tortellinis au fromage surgelé
125 ml (1/2 tasse)	De petits pois surgelés
Au goût	Sel et poivre

1. Dans une grande casserole, faire chauffer l'huile à feu moyen et faire revenir l'oignon, l'ail, les carottes et le céleri 3 minutes ou jusqu'à ce que l'oignon soit tendre.

2. Ajouter le bouillon, le jus de citron, le basilic et le thym. Amener à ébullition.

3. Réduire le feu, couvrir et laisser mijoter pendant 10 minutes ou jusqu'à ce que les carottes soient tendres. Brasser de temps à autre.

4. Ajouter les tortellinis et porter à ébullition. Réduire le feu, couvrir et laisser mijoter 5 minutes.

5. Ajouter les petits pois et laisser mijoter 5 minutes ou jusqu'à ce que la soupe soit chaude.

La majorité des pâtes fraîches sont faites avec des œufs. Vous pouvez remplacer les tortellinis par 75 ml (1/3 tasse) de petites pâtes sèches.

PRÉPARATION : **15 minutes** CUISSON : **5 minutes**

 Le Guide alimentaire canadien recommande de consommer des légumes et des fruits de préférence aux jus. Les bruschettas peuvent être une bonne alternative au jus de légumes.

Bruschettas

FAMILIAL (24 portions)		GROUPE (80 enfants)
1 (796 ml/28 oz)	Boîte de tomates en dés, égouttées	1 (6 l/200 oz)
15 ml (1 c. à table)	D'huile d'olive	Facultatif
50 ml (1/4 tasse)	De basilic frais haché, légèrement tassé	Au goût
1 gousse	D'ail émincé (facultatif)	1 gousse
Au goût	Sel et poivre	Au goût
1	Baguette de pain de blé entier	18 à 24
250 ml (1 tasse)	De fromage mozzarella râpé finement	2 kg

1. Dans un bol, mélanger les tomates, l'huile d'olive, le basilic et l'ail puis assaisonner. (Pour le format de groupe, faire bouillir les tomates, le basilic et l'ail puis laisser refroidir).

2. Couper le pain en 24 tranches. (Pour le format de groupe, on peut couper la baguette en 2 dans le sens de la longueur.) Placer sur une plaque à biscuits et faire griller jusqu'à ce que les deux côtés soient bien dorés. Recouvrir du mélange aux tomates et saupoudrer de fromage. Remettre au four 1 minute ou jusqu'à ce que le fromage soit fondu.

Le Guide alimentaire canadien recommande de manger au moins un légume vert foncé et un légume orangé chaque jour. La mangue est un fruit riche en caroténoïdes tout comme les légumes orangés. C'est pourquoi elle peut remplacer un légume orangé. Dans la recette de salsa, vous pourriez ajouter des cubes de mangue fraîche ou congelée.

Salsa

FAMILIAL (40 portions de 25 ml)		GROUPE (80 enfants)
15 ml (1 c. à table)	D'huile	Au goût
1	Oignon haché finement	2 à 3
2 branches	De céleri hachées finement	1/2 pied
1 (796 ml/28 oz)	Boîte de tomates en dés ou broyées	1 (3 l/100 oz)
Au goût	Épices	Au goût

1. Dans un poêlon, faire chauffer l'huile à feu moyen puis faire revenir l'oignon et le céleri jusqu'à ce qu'ils soient tendres mais croquants. Réserver.

2. Dans un bol, verser les tomates. Ajouter le mélange d'oignon et de céleri. Assaisonner. Conserver au réfrigérateur.

Vous pouvez étendre la garniture sur des tortillas de blé entier. Roulez le tout avec une ou deux lanières de poivron rouge.

 Une portion de 50 ml de cette garniture apporte 8 g de protéines. Vous pouvez l'accompagner d'un potage à la carotte (page 17) pour atteindre l'apport souhaitable en protéines pour ce repas.

Garniture à sandwich au poulet

FAMILIAL (16 portions de 50 ml)

1 branche	De céleri parée
1	Oignon paré
50 ml (1/4 tasse)	De fromage à la crème
50 ml (1/4 tasse)	De yogourt nature
15 ml (1 c. à thé)	De mayonnaise
500 ml (2 tasses)	De poulet cuit en morceaux
Au goût	Sel et poivre

1. Au robot culinaire, hacher le céleri, l'oignon, le fromage à la crème, le yogourt et la mayonnaise.

2. Ajouter le poulet, le sel et le poivre. Hacher à nouveau.

 Substituer la mayonnaise par une mayonnaise à base de tofu, par de la crème sûre ou par du yogourt.

Chaque portion de 50 ml de cette garniture apporte 7 g de protéines. Pour atteindre l'apport souhaitable en protéines pour ce repas, vous pouvez accompagner cette garniture de la soupe minestrone aux haricots rouges (page 21).

Garniture à sandwich au veau

FAMILIAL (15 portions de 50 ml)		GROUPE (80 enfants)
500 g (1 lb)	De veau haché	3,5 à 4,5 kg
1	Oignon haché finement	3 à 4
2 branches	De céleri hachées finement	2 pieds
15 ml (1 c. à table)	De moutarde	Au goût
15 ml (1 c. à table)	De mayonnaise	Au goût
15 ml (1 c. à table)	De yogourt nature	Au goût
Au goût	Sel et poivre	Au goût

1. Dans un poêlon, faire revenir le veau à feu moyen-vif en le défaisant à la fourchette environ 5 minutes ou jusqu'à ce qu'il soit bruni.

2. Ajouter l'oignon et le céleri. Cuire 3 à 5 minutes ou jusqu'à ce que l'oignon soit tendre.

3. Réfrigérer dans un bol couvert.

4. Lorsque le mélange de viande est froid, hacher la viande au robot culinaire (si désiré). Ajouter la moutarde, la mayonnaise et le yogourt. Assaisonner.

Substituer la mayonnaise par une mayonnaise à base de tofu, par de la crème sûre ou par du yogourt.

Une soupe aux légumes servie avec des craquelins de blé entier est un repas apprécié de plusieurs enfants. S'il y a peu ou pas de protéines (légumineuses, volaille, viande, etc.) dans la soupe, vous pouvez offrir la garniture au tofu (6 g de protéines par portion de 50 ml) dans des petits pains, des pitas, des tortillas... de blé entier évidemment!

Garniture à sandwich au tofu

FAMILIAL (13 portions de 50 ml)		GROUPE (80 enfants)
1	Paquet de tofu ferme (454 g)	6 à 8
1 gousse	D'ail pelée	Facultatif
1	Carotte pelée, coupée en gros morceaux	6
50 ml (1/4 tasse)	De mayonnaise	250 ml
15 ml (1 c. à table)	De jus de citron	75 ml
5 ml (1 c. à thé)	De moutarde de Dijon	25 ml
1	Oignon pelé	Au goût
2 ml (1/2 c. à thé)	De cari en poudre	Au goût
Au gout	Fines herbes provençales	Au goût
Au goût	Sel et poivre	Au goût

1. Au robot culinaire, réduire en purée le tofu, l'ail et la carotte.

2. Ajouter la mayonnaise, le jus de citron, la moutarde de Dijon, l'oignon, le cari et les fines herbes. Mélanger jusqu'à consistance homogène.

3. Ajuster la texture avec du yogourt nature. Assaisonner.

 Substituer la mayonnaise par une mayonnaise à base de tofu, par de la crème sûre ou par du yogourt.

Au goût, cette recette est beaucoup plus douce que celle du marché puisqu'elle ne contient pas de tahini (beurre de sésame). Les enfants l'apprécient comme garniture de sandwich dans des pitas miniatures. Aussi, en y ajoutant du yogourt nature, elle peut se servir en trempette avec des légumes et des pains de blé entier grillés. C'est une excellente collation !

Le quinoa, oranges et canneberges en salade (page 16) est un accompagnement idéal à cette garniture. Ensemble ces deux mets apportent 17 g de protéines par portion en plus de fournir du fer, de la vitamine C et du calcium.

Garniture à sandwich aux pois chiches

FAMILIAL (10 portions de 50 ml)		GROUPE (80 enfants)
1 (540 ml/19 oz)	Boîte de pois chiches, égouttés et rincés	1 (3 l/100 oz)
125 ml (1/2 tasse)	De fromage à la crème	625 ml
1 gousse	D'ail pelée	Facultatif
15 ml (1 c. à table)	De persil frais haché	Facultatif
15 ml (1 c. à table)	De mayonnaise	300 ml
15 ml (1 c. à table)	De yogourt nature	300 ml
Au goût	Sel et poivre	Au goût

1. Au robot culinaire, réduire en purée les pois chiches, le fromage à la crème, l'ail et le persil.

2. Ajouter la mayonnaise et le yogourt. Mélanger jusqu'à consistance homogène.

3. Ajuster la texture avec du lait ou du yogourt nature. Assaisonner.

Substituer la mayonnaise par une mayonnaise à base de tofu, par de la crème sûre ou par du yogourt.

les repas principaux

Recettes	Par portion de...	Calories	Protéines (g)	Glucides (g)	Lipides (g)	Fer (mg)	Calcium (mg)
LES METS DE POISSON							
Tarte au poisson gratinée	1 portion	350	16	23	21,0	1,65	143,9
Filets de poisson au four	1 portion	200	26	2	10,0	0,74	107,3
Pâté au saumon	1 portion	240	15	18	12,0	1,12	242,5
Croquettes de thon	1 portion	170	19	5	8,0	1,30	47,0
Saumon mariné aux agrumes et à l'aneth	1 portion	360	20	17	24,0	0,57	22,5
LES METS VÉGÉTARIENS							
Bâtonnets croquants au tofu	4 bâtonnets	320	16	20	14,0	3,70	556,8
Boulettes de tofu	3 boulettes	300	18	27	12,0	3,70	593,6
Burgers aux lentilles	1 boulette	140	7	20	3,5	1,80	78,0
Petits pains aux lentilles	1 portion	350	23	36	13,0	5,00	271,5
Ragoût légumini	375 ml	320	16	55	4,5	5,48	116,5
Couscous aux légumes	375 ml	420	16	72	8,0	3,90	103,6
Tourtière au millet	1 portion	220	8	25	10,0	1,23	116,6
Burritos végé	1 burritos	510	22	75	13,0	2,15	163,5
LES METS DE PORC							
Porc au chou	375 ml	330	15	35	14,0	1,83	54,8
Filets de porc au parfum d'érable	1 portion	170	25	7	5,0	1,50	38,7
LES METS DE VEAU ET DE BOEUF							
Boulettes de veau	3 boulettes	140	14	6	7,0	0,79	55,7
Ragoût de veau aux légumes	250 ml	220	25	9	9,0	1,51	36,7
Chili con carne	250 ml	220	15	25	7,0	2,47	52,9
Pot-au-feu	250 ml	220	22	19	6,0	2,81	51,2
Pâté chinois mi-végé	300 ml	330	16	51	7,0	2,69	54,6
Bœuf mijoté	250 ml	190	22	6	9,0	2,38	18,9
LES METS DE VOLAILLES							
Chop suey à la dinde	250 ml	200	22	10	8,0	2,20	53,4
Dinde paysanne	250 ml	210	19	22	5,0	1,55	92,1
Poulet aux épinards	250 ml	270	22	24	9,0	2,84	68,1
Poulet sauté à l'orange	1 portion	220	25	9	9,0	1,22	25,8
Poulet à la mangue	250 ml	220	22	15	8,0	1,12	23,8
Poulet à la pâte de curry	1 portion	180	25	5	7,0	2,03	116,7
LES METS DE PÂTES ALIMENTAIRES ET LES SAUCES							
Pâtes aux poivrons et haricots blancs	350 ml	320	16	58	2,5	7,55	219,7
Macaroni au thon	150 ml	240	21	28	5,0	1,68	65,9
Pâtes au thon, aux olives, aux câpres et au citron	125 ml	150	18	9	4,5	1,58	33,9
Sauce rosée au veau	250 ml	210	15	16	10,0	1,65	66,5
Sauce à spaghetti mi-végé	125 ml	250	18	33	5,0	5,07	53,2
Sauce béchamel au four à micro-ondes	125 ml	140	5	13	8,0	0,31	147,1
Sauce béchamel (groupe)	80 ml	60	2	7	2,5	0,20	57,6

Tarte au poisson gratinée

FAMILIAL (8 portions)		GROUPE (80 enfants)
500 g (1 lb)	De filets de poisson (morue ou merlu argenté)	5 kg
125 ml (1/2 tasse)	De riz cru	1,75 l
15 ml (1 c. à table)	D'huile	50 ml
2	Oignons hachés finement	1 kg
1 branche	De céleri hachée finement	2 pieds
1 gousse	D'ail émincée	2 gousses
25 ml (2 c. à table)	De persil frais haché finement	250 ml
3	Œufs moyens	3 douzaines
Au goût	Sel et poivre	Au goût
1	Croûte à tarte profonde (23 cm/9 po) non cuite	15 (Pâtés avec une seule abaisse)
250 ml (1 tasse)	De fromage mozzarella grossièrement râpé	2 kg

1. Préchauffer le four à 230 °C (450 °F). Dans une casserole d'eau bouillante, faire cuire les filets de poisson environ 5 minutes ou jusqu'à ce que la chair soit opaque. Retirer de l'eau, égoutter et laisser refroidir.

2. Faire cuire le riz selon les indications du fabricant. Réserver.
Dans un petit poêlon, chauffer l'huile et faire revenir les oignons et le céleri environ 3 minutes ou jusqu'à ce qu'ils soient tendres. Réserver.

3. Dans un grand bol, mettre les filets de poisson, le riz cuit, les oignons, le céleri, l'ail, le persil, les œufs, le sel et le poivre. Mélanger le tout. Verser la préparation dans une croûte à tarte. Couvrir d'un papier d'aluminium.

4. Cuire au four pendant 25 minutes. Enlever le papier d'aluminium et saupoudrer de fromage et laisser cuire pendant encore 10 minutes ou jusqu'à ce que le fromage soit fondu.

 Manger du poisson au moins 2 fois par semaine dès un très jeune âge permet à l'enfant de s'habituer au goût et de garder cette bonne habitude par la suite. Toute la famille bénéficiera des bienfaits des acides gras essentiels contenus dans les poissons.

Filets de poisson au four

FAMILIAL (6 portions)		GROUPE (80 enfants)
1 (700 g)	Paquet de filets de poisson décongelés	10 kg
1	Œuf battu	12
25 ml (2 c. à table)	De lait	375 ml
5 ml (1 c. à thé)	De moutarde en poudre	Au goût
Au goût	Sel et poivre	Au goût
15 ml (1 c. à table)	De jus de citron	Au goût
1/2	Oignon finement haché	4 ou 5
125 ml (1/2 tasse)	De champignons tranchés	Au goût
25 ml (2 c. à table)	De persil frais haché	Au goût
125 ml (1/2 tasse)	De fromage mozzarella grossièrement râpé	2 kg

1. Préchauffer le four à 200°C (400°F). Disposer les filets de poisson dans un plat huilé allant au four.

2. Dans un petit bol, mélanger l'œuf, le lait, la moutarde, le sel, le poivre, le jus de citron, l'oignon, les champignons et le persil.

3. Verser ce mélange sur les filets de poisson. Parsemer de fromage.

4. Cuire les filets de poisson au four pendant 25 minutes ou jusqu'à ce que la chair soit opaque (vérifier en faisant une petite incision dans la partie la plus charnue du poisson).

 Omettre l'œuf.

Les acides gras essentiels (oméga-3 et oméga-6) sont deux bons gras que l'organisme ne peut pas produire. Il est donc nécessaire d'offrir à votre famille des aliments qui en contiennent. Les poissons sont, entre autres, une source d'acides gras oméga-3. Ces acides gras aident à diminuer la pression artérielle et les triglycérides sanguins. Aussi, il est reconnu que les acides gras oméga-3 contribuent à rendre le sang plus fluide, ce qui prévient le développement de caillots sanguins.

Pâté au saumon

FAMILIAL (8 portions)		GROUPE (15 moules de 2 l)
500 ml (2 tasses)	De pommes de terre en purée (environ 4 pommes de terre)	18 kg
1 (418 g/14,75 oz)	Boîte de saumon rose du pacifique	3 x 1,8 kg
50 ml (1/4 tasse)	De lait	375 ml
2 ml (1/2 c. à thé)	De sel de céleri	Au goût
Au goût	Sel et poivre	Au goût
1	Croûte à tarte profonde (23 cm/9 po) non cuite	15 (Pâtés avec une seule abaisse)
250 ml (1 tasse)	De fromage mozarella grossièrement râpé	Au goût

1. Préchauffer le four à 220°C (425°F).

2. Préparer la purée de pommes de terre. Réserver.

3. Au robot culinaire, réduire en purée le saumon. Ajouter le lait. Bien mélanger jusqu'à consistance lisse.

4. Ajouter la purée de pommes de terre. Assaisonner.

5. Verser la préparation dans la croûte à tarte. Parsermer de fromage.

6. Cuire au four environ 45 minutes ou jusqu'à ce que le pâté soit bien chaud.

 Pour faire cette recette sans croûte à tarte, il suffit de mettre la préparation au saumon dans un moule à pain et garnir le dessus de fromage mozzarella râpée grossièrement.

Vous pouvez aussi faire cuire les croquettes au four à 190°C (375°F) jusqu'à ce qu'elles soient bien dorées de chaque côté.

Croquettes de thon

FAMILIAL (8 portions)		GROUPE (80 enfants)
3 x 170 g net	Boîtes de thon égoutté	3 x 1,88 kg
20	Biscuits soda de blé entier broyés	15 sachets
3	Œufs légèrement battus	6 douzaines
50 ml (1/4 tasse)	De fromage cheddar râpé finement	Facultatif
50 ml (1/4 tasse)	De persil frais haché	Au goût
50 ml (1/4 tasse)	De carottes pelées, râpées	Facultatif
1 ml (1/4 c. à thé)	De thym séché	Facultatif
Au goût	Oignon déshydraté (facultatif)	Au goût
Au goût	Ciboulette séchée (facultatif)	Au goût
Au goût	Sel et poivre	Au goût
15 ml (1 c. à table)	D'huile	Facultatif

1. Dans un grand bol, mélanger le thon, les biscuits soda, les œufs, le fromage râpé, le persil, les carottes, le thym, l'oignon, la ciboulette, le sel et le poivre.

2. Façonner 8 croquettes d'environ 50 ml (1/4 tasse) chacune.

3. Chauffer l'huile dans un grand poêlon et y faire revenir les croquettes de chaque côté.

Les bienfaits de consommer du poisson sont importants pour tous les membres de votre famille. Voici quelques idées pour varier votre menu : tarte, soupe, filet, pâté, croquettes, sandwich, pâtes alimentaires, fondue, salade ou quiche.

Saumon mariné aux agrumes et à l'aneth

FAMILIAL (5 portions)

500 g	De filets de saumon

MARINADE	
75 ml (1/3 tasse)	De sirop d'érable
75 ml (1/3 tasse)	De jus d'orange
75 ml (1/3 tasse)	De jus de lime
75 ml (1/3 tasse)	D'huile d'olive
15 ml (1 c. à table)	D'aneth séché
Au goût	Sel et poivre

1. Dans un grand plat allant au four, mélanger le sirop d'érable, les jus d'agrumes, l'huile d'olive, l'aneth, le sel et le poivre. Ajouter les filets de saumon. Couvrir et laisser macérer environ 1 heure au réfrigérateur.

2. Préchauffer le four à 180°C (350°F).

3. Retirer la marinade et égoutter les filets de saumon. Remettre les filets dans le grand plat.

4. Faire cuire au four 15 minutes ou jusqu'à ce que la chair soit opaque (vérifier en faisant une petite incision dans la partie la plus charnue du poisson).

Une fois l'emballage ouvert, le tofu ferme non utilisé se conserve jusqu'à une semaine au réfrigérateur. Il suffit de déposer le tofu dans un récipient, de le couvrir d'eau et de placer un couvercle. Il faut changer l'eau à chaque 24 heures.

Bâtonnets croquants au tofu

FAMILIAL (6 portions de 4 bâtonnets)		GROUPE (80 enfants)
1	Paquet de tofu (454 g) ferme	12
25 ml (2 c. à table)	D'huile d'olive	Au goût
2 ml (1/2 c. à thé)	De thym	Au goût
Au goût	Sel de céleri et poivre	Au goût
125 ml (1/2 tasse)	De farine	Environ 2 l au total
1	Œuf	Facultatif (ou remplacer l'œuf par le lait)
25 ml (2 c. à table)	D'eau	Facultatif
125 ml (1/2 tasse)	De chapelure	1,5 l à 2 l
75 ml (1/3 tasse)	De graines de sésame	750 ml à 1 l

1. Préchauffer le four à 200°C (400°F).

2. Couper le tofu en bâtonnets de 1 cm d'épaisseur, de 2 cm de largeur et de 7 cm de longueur afin d'obtenir 24 bâtonnets. Placez les bâtonnets de tofu dans un plat peu profond. Dans un petit bol, mélanger l'huile d'olive, le thym, le sel de céleri et le poivre. Verser sur le tofu en le tournant pour enrober les deux côtés. Laisser reposer.

3. Placer la farine dans une assiette creuse. Dans un bol moyen, battre l'œuf et l'eau à la fourchette. Dans un autre bol, bien mélanger la chapelure et les graines de sésame. Réserver.

4. Tremper les bâtonnets de tofu d'abord dans la farine puis dans le mélange d'œuf. Bien égoutter. Ensuite, enrober le tofu du mélange de chapelure et de graines de sésame. Placer les bâtonnets en une seule épaisseur sur une plaque à pâtisserie anti-adhésive ou recouverte de papier parchemin.

5. Faire griller au four pendant 10 minutes de chaque côté. Servir avec une trempette à base de yogourt ou de votre sauce favorite.

 Omettre l'œuf.

 Servir ce mets avec la salade de pâtes de la récolte d'été (page 15) pour améliorer votre apport en fibres alimentaires, en vitamine A et en glucides.

Boulettes de tofu

FAMILIAL (7 portions)		GROUPE (80 enfants)
1	Paquet de tofu (454 g) ferme	10
125 ml (1/2 tasse)	De fromage cheddar râpé finement	2 kg
1	Poivron paré, coupé	Au goût
1	Oignon paré, coupé	Au goût
2	Œufs légèrement battus	2 douzaines
25 ml (2 c. à table)	De farine	250 ml
25 ml (2 c. à table)	De sauce soya	500 ml
5 ml (1 c. à thé)	D'épices à tourtière	50 ml
15 ml (1 c. à table)	De ciboulette séchée	Au goût
15 ml (1 c. à table)	De persil séché	Au goût
375 ml (1 1/2 tasse)	De chapelure	2 l

1. Préchauffer le four à 180°C (350°F).

2. Au robot culinaire, hacher finement le tofu, le fromage, le poivron, l'oignon, les œufs, la farine, la sauce soya, les épices à tourtière, la ciboulette, le persil et seulement 250 ml (1 tasse) de chapelure. Mélanger. Façonner 20 boulettes de 50 ml (1/4 tasse).

3. Placer le restant de la chapelure, 125 ml (1/2 tasse), dans une assiette creuse. Enrober les boulettes de tofu de la chapelure. Placer les boulettes sur une plaque à pâtisserie anti-adhésive ou recouverte de papier parchemin.

4. Faire griller environ 30 minutes ou jusqu'à ce qu'elles soient bien dorées.

Note

Lors de la préparation en format de groupe, nous vous suggérons d'ajouter du lait pour rendre le mélange plus malléable. Les boulettes peuvent être faites à la petite cuillère à crème glacée et elles se conservent quelques heures au réfrigérateur.

 Omettre les œufs.

Vous pouvez faire rôtir la galette au poêlon ou sur le BBQ comme vous le feriez pour la viande hachée. Servir la galette dans un pain hamburger de blé entier et accompagnez-la de la salade de chou et de fromage cheddar (page 11).

Burgers aux lentilles

FAMILIAL (15 portions)		GROUPE (80 enfants)
1 (540 ml/19 oz)	Boîte de lentilles, égouttées et rincées	6 à 8 l de lentilles sèches (à cuire avant de débuter la recette)
250 ml (1 tasse)	De riz cuit	3 l
1	Oignon haché finement	1 kg
175 ml (3/4 tasse)	De fromage cheddar râpé grossièrement	2 kg
425 ml (1 3/4 tasse)	De chapelure	3 à 4 l
2	Œufs	2 1/2 à 3 douzaines
Au goût	Sauce soya	Au goût
Au goût	Marjolaine séchée, basilic séché, sel et poivre	Au goût

1. Préchauffer le four à 180°C (350°F).

2. Au robot culinaire, mettre en purée les lentilles, le riz cuit et l'oignon. Ajouter le fromage, la chapelure, les œufs, la sauce soya, la marjolaine, le basilic, le sel et le poivre. Façonner 15 galettes de 50 ml (1/4 tasse) avec ce mélange. (Pour le format de groupe, utiliser une grosse cuillère à crème glacée.)

3. Placer les galettes en une seule épaisseur sur une plaque à pâtisserie anti-adhésive ou recouverte de papier parchemin.

4. Faire griller au four pendant 10 minutes de chaque côté.

 Si vous utilisez seulement une partie de vos légumineuses en conserve, ne jetez pas le reste!!! Vous pouvez les congeler dans un contenant de plastique ou dans un sac à congélation, elles se conserveront jusqu'à huit mois.

Petits pains aux lentilles

FAMILIAL (12 portions)		GROUPE (12 moules de 2 l)
2	Œufs légèrement battus	16
50 ml (1/4 tasse)	De lait	1,25 l
125 ml (1/2 tasse)	De chapelure	1,5 l
750 ml (3 tasses)	De fromage cheddar râpé grossièrement	2 kg
15 ml (1 c. à table)	D'huile	Au goût
250 ml (1 tasse)	De carottes pelées, râpées finement	Environ 7 kg
3	Oignons hachés finement	4
1 branche	De céleri hachée finement	1 pied
25 ml (2 c. à table)	De persil frais haché	Au goût
5 ml (1 c. à thé)	De sauce soya	125 ml
2 ml (1/2 c. à thé)	D'épices à tourtière	Au goût
Au goût	Sel et poivre	Au goût
1 (540 ml/19 oz)	Boîte de lentilles, égouttées et rincées	7 l de lentilles sèches (à cuire avant de débuter la recette)

1. Préchauffer le four à 220°C (425°F). Dans un grand bol mélanger les œufs, le lait, la chapelure et le fromage. Réserver.

2. Dans un poêlon, faire chauffer l'huile à feu vif. Faire revenir les carottes, les oignons et le céleri environ 3 minutes ou jusqu'à ce qu'ils soient tendres. Ajouter le persil, la sauce soya et les assaisonnements. Cuire environ 3 minutes en remuant constamment. Retirer du feu et ajouter au mélange d'œufs. Ajouter les lentilles et mélanger le tout.

3. À l'aide d'une cuillère, verser la préparation dans un moule à muffins. Recouvrir d'un papier d'aluminium. Cuire au four pendant 30 minutes. Retirer le papier d'aluminium et laisser reposer 5 minutes avant de démouler.

 Omettre les œufs.

 Ce mets est faible en gras saturés, ce qui est excellent pour la santé du cœur. En plus, chaque portion est une excellente source de vitamine A et de fibres alimentaires.

Ragoût légumini

FAMILIAL (7 portions d'environ 375 ml)

3 (540 ml / 19 oz)	Boîtes de légumineuses mélangées, égouttées et rincées
1	Oignon haché
1 litre (4 tasses)	De chou-fleur en bouquets
1	Poivron vert coupé en dés
2	Carottes pelées, coupées en rondelles
500 ml (2 tasses)	De bouillon de légumes
2 feuilles	De laurier
2 ml (1/2 c. thé) de chacun	Basilic, thym, sauge et sarriette séchés
300 ml (1 1/4 tasse)	De jus de tomate
Au goût	Sel et poivre

1. Dans une grande casserole, mettre tous les ingrédients. Couvrir et laisser mijoter 30 minutes.

2. Assaisonner. Servir accompagné de pain de blé entier ou de quinoa.

Couscous aux légumes

FAMILIAL (8 portions d'environ 375 ml)

15 ml (1 c. à table)	D'huile
1	Poivron vert coupé en lanière
1	Poivron rouge coupé en lanière
1	Oignon haché finement
3 gousses	D'ail émincées
2	Carottes pelées, tranchées
2 ml (1/2 c. à thé) de chacun	De poudre de Cayenne, de curcuma et de coriandre
1 (796 ml/28 oz)	Boîte de tomates en dés, non égouttées
2 (540 ml /19 oz)	Boîtes de pois chiches égouttés et rincés
75 ml (1/3 tasse)	D'amandes en bâtonnets
75 ml (1/3 tasse)	De raisins secs
500 ml (2 tasses)	De bouillon de légumes
375 ml (1 1/2 tasse)	De couscous

1. Dans une grande casserole, faire chauffer l'huile et faire revenir les poivrons, l'oignon, l'ail, les carottes, la poudre de Cayenne, le curcuma et la coriandre pendant 3 minutes ou jusqu'à ce que les légumes soient tendres.

2. Ajouter les tomates, les pois chiches, les amandes et les raisins. Couvrir et laisser mijoter 10 minutes ou jusqu'à ce que le tout soit chaud.

PRÉPARATION DU COUSCOUS

1. Dans une casserole, porter le bouillon de légumes à ébullition. Retirer la casserole du feu.

2. Verser le couscous en remuant constamment. Couvrir et laisser reposer pendant 5 minutes.

3. Séparer les grains à l'aide d'une fourchette.

4. Servir les légumes sur le couscous.

 Utiliser du couscous sans traces d'œuf ou remplacer par du riz, des pâtes alimentaires, une polenta, des pains, des pitas ou des tortillas de blé entier et faire gratiner.

Tourtière au millet

FAMILIAL (16 portions)

250 ml (1 tasse)	De millet cru
375 ml (1 1/2 tasse)	D'eau
15 ml (1 c. à table)	D'huile
1	Oignon haché finement
250 ml (1 tasse)	De carottes pelées, râpées finement
3 gousses	D'ail émincées
250 ml (1 tasse)	De flocons d'avoine
5 ml (1 c. à thé)	De basilic séché
5 ml (1 c. à thé)	De paprika
5 ml (1 c. à thé)	De thym séché
250 ml (1 tasse)	De bouillon de légumes
2	Croûtes à tarte profonde non cuites
250 ml (1 tasse)	De fromage mozarella grossièrement râpé
Facultatif	Jaune d'œuf battu

1. Préchauffer le four à 180°C (350°F).

2. Mettre le millet dans une passoire et le laver à grande eau fraîche. Réserver.

3. Dans une grande casserole, réchauffer l'eau. Mettre le millet dans l'eau très chaude et porter à ébullition. Réduire le feu, couvrir et cuire pendant 20 minutes.

4. Dans un grand poêlon, chauffer l'huile et faire revenir l'oignon, les carottes et l'ail environ 3 minutes ou jusqu'à ce que l'oignon soit transparent. Ajouter les flocons d'avoine, le basilic, le paprika, le thym et le bouillon de légumes. Bien mélanger. Si nécessaire, ajuster la quantité de liquide : le mélange doit être d'apparence légèrement mouillée.

5. Verser la préparation dans les croûtes à tarte. Parsemer de fromage.

6. Badigeonner les croûtes d'un jaune d'œuf (facultatif).

7. Cuire au four pendant 20 minutes.

Omettre l'œuf et utiliser une croûte à tarte sans œufs.

 Le Guide alimentaire canadien recommande de consommer souvent des substituts de la viande comme des légumineuses ou du tofu.

Burritos végé

FAMILIAL (5 portions)

5 ml (1 c. à thé)	D'huile
1	Oignon haché finement
1 gousse	D'ail émincée
1/2	Poivron vert haché finement
125 ml (1/2 tasse)	De courgettes en dés
1	Carotte pelée, grossièrement râpée
5 ml (1 c. à thé)	De cumin moulu
125 ml (1/2 tasse)	De salsa
1 (540 ml/19 oz)	Boîte de haricots rouges, égouttés et rincés
5	Tortillas de blé de 10 po (25 cm)
175 ml (3/4 tasse)	De fromage mozzarella grossièrement râpé

1. Préchauffer le four à 200°C (400°F).

2. Dans un grand poêlon, chauffer l'huile à feu moyen. Faire revenir l'oignon, l'ail, le poivron, les courgettes et la carotte environ 5 minutes ou jusqu'à ce que les légumes soient tendres. Ajouter le cumin et bien mélanger. Réserver.

3. Au robot culinaire, réduire en purée la salsa et les haricots rouges.

4. Garnir chaque tortilla de la purée d'haricots rouges et du mélange de légumes. Enrouler et disposer les tortillas, côté replié vers le bas dans un plat allant au four.

5. Cuire au four pendant 15 minutes. Parsemer de fromage et cuire pendant 5 minutes de plus.

Note : Lorsque le temps nous manque, nous pouvons cuire les burritos au four à micro-ondes.

Souvent, les parents s'inquiètent du fait que leurs enfants mangent peu ou pas de viande. Ils craignent que leurs besoins en fer ne soient pas comblés. Effectivement, la viande, la volaille et le poisson sont de très bonnes sources de fer facilement assimilables par l'organisme. Cependant, il faut savoir que les céréales, la crème de blé et les légumineuses sont aussi de bonnes sources de fer. Il suffit d'ajouter un aliment riche en vitamine C pour améliorer l'absorption du fer d'origine végétale. Pour en connaître davantage et pour calculer son apport en fer, consulter le site www.duplaisirabienmanger.com.

Porc au chou

FAMILIAL (8 portions d'environ 375 ml)		GROUPE (80 enfants)
500 g (1 lb)	De porc maigre haché	5,5 kg
2	Oignons finement hachés	1 kg
1 gousse	D'ail émincée	Au goût
3 branches	De céleri tranchées	2 pieds
1/2	Chou grossièrement haché	6 à 8
3	Carottes pelées, grossièrement râpées	2 kg
500 ml (2 tasses)	De jus de tomate	1,5 l
1 l (4 tasses)	De jus de légumes	1,5 l
250 ml (1 tasse)	De riz brun à long grain cru	2 l (à cuire avant de débuter la recette)
50 ml (1/4 tasse)	De persil frais haché	Au goût
5 ml (1 c. à thé)	De sel de céleri	Au goût
15 ml (1 c. à table)	De ciboulette séchée	Au goût
Au goût	Sel et poivre	Au goût

1. Dans une grande casserole anti-adhésive, faire revenir le porc à feu moyen-vif en le défaisant à la fourchette jusqu'à ce qu'il soit bruni, soit pendant environ 5 minutes. Jeter le gras.

2. Ajouter les oignons, l'ail et le céleri. Faire cuire pendant 3 à 5 minutes ou jusqu'à ce que les oignons soient tendres.

3. Ajouter le chou, les carottes, le jus de tomate, le jus de légumes, le riz, le persil, le sel de céleri, la ciboulette, le sel et le poivre.

4. Couvrir et laisser mijoter pendant au moins 30 minutes ou jusqu'à ce que les légumes et le riz soient tendres.

Le Guide alimentaire canadien recommande de choisir des viandes maigres. Les filets de viande sont considérés comme maigres lorsqu'on enlève toutes les graisses visibles.

Filets de porc au parfum d'érable

FAMILIAL (10 portions)

25 ml (2 c. à table)	D'huile
1 kg	De filets de porc, coupés en 2
4	Échalotes françaises hachées finement
1 gousse	D'ail émincée
50 ml (1/4 tasse)	De sirop d'érable
15 ml (1 c. à table)	De gingembre haché finement
15 ml (1 c. à table)	De jus de citron
250 ml (1 tasse)	De bouillon de bœuf
75 ml (1/3 tasse)	De lait évaporé 2 % m.g.
Au goût	Sel et poivre

1. Préchauffer le four à 180°C (350°F).

2. Dans un poêlon, faire chauffer l'huile à feu moyen. Saisir les filets de porc de tous les côtés.

3. Déposer les filets dans un plat allant au four. Cuire au four pendant 20 minutes ou jusqu'à ce que le jus de cuisson qui s'écoule soit clair ou jusqu'à ce que le thermomètre à viande indique 70°C (160°F).

4. Dans le même poêlon, faire revenir les échalotes et l'ail pendant 1 minute. Ajouter le sirop d'érable et le gingembre puis cuire 3 minutes. Ajouter le jus de citron et le bouillon de bœuf. Laisser réduire de moitié. Ajouter le lait et réchauffer. Assaisonner au goût.

5. Servir les filets de porc nappés de la sauce.

Accompagnez ce mets d'un savoureux mélange de légumes colorés et de pommes de terre en purée.

Boulettes de veau

FAMILIAL (8 portions de 3 boulettes)		GROUPE (80 enfants)
500 g (1 lb)	De veau maigre haché	10 kg
2	Oignons verts hachés finement	Au goût
15 ml (1 c. à table)	De sauce chili	Au goût
1 ml (1/4 c. à thé)	De sel de céleri	Au goût
SAUCE		
25 ml (2 c. à table)	De margarine non hydrogénée	250 ml
1	Oignon haché finement	4 à 5
4 branches	De céleri hachées finement	1 pied
25 ml (2 c. à table)	De farine	500 ml
250 ml (1 tasse)	De lait chaud	4 l
Au goût	Sel et poivre	Au goût

1. Préchauffer le four à 200°C (400°F).

2. Mélanger le veau haché, les oignons verts, la sauce chili et le sel de céleri. Façonner 24 boulettes d'environ 15 ml (1 c. à table). Déposer en une seule couche dans un plat allant au four. Cuire au four 25 minutes ou jusqu'à ce que les boulettes ne soient plus rosées à l'intérieur.

Sauce

3. Pendant ce temps, dans une casserole, faire fondre la margarine. Faire revenir l'oignon et le céleri environ 3 minutes ou jusqu'à ce que l'oignon soit tendre. Incorporer la farine et cuire en remuant pendant 1 minute. Incorporer le lait chaud au fouet et cuire pendant 2 minutes en continuant de fouetter ou jusqu'à ce que le mélange frémisse et soit épais. Réduire en purée au robot culinaire ou au mélangeur (si désiré). Assaisonner au goût.

4. Disposer les boulettes dans les assiettes et verser la sauce sur celles-ci.

Pour introduire graduellement les légumineuses ou le tofu à vos habitudes alimentaires, vous pourriez ajouter à cette recette des haricots blancs en conserve bien égouttés et rincés ou des petits morceaux de tofu au même moment que les petits pois.

Ragoût de veau aux légumes

FAMILIAL (13 portions d'environ 250 ml)

15 ml (1 c. à table)	D'huile
1,5 kg (3 livres)	De veau en cubes
3	Oignons moyens hachés
2 gousses	D'ail émincées
500 ml (2 tasses)	De carottes pelées, tranchées
500 ml (2 tasses)	De bouillon de bœuf
50 ml (1/4 tasse)	De persil frais haché
15 ml (1 c. à table)	De fenouil frais haché
500 ml (2 tasses)	De petits pois surgelés
Au goût	Sel et poivre

1. Dans une grande casserole, faire chauffer l'huile à feu moyen. Saisir les cubes de veau de tous les côtés. Ajouter les oignons, l'ail et les carottes et faire revenir pendant 3 minutes ou jusqu'à ce que les oignons soient tendres.

2. Ajouter le bouillon de bœuf, le persil et le fenouil. Bien mélanger. Amener à ébullition. Réduire le feu, couvrir et laisser mijoter pendant 30 minutes ou jusqu'à ce que la viande soit tendre.

3. Ajouter les petits pois et faire mijoter 5 minutes ou jusqu'à ce que les petits pois soient chauds.

4. Assaisonner et servir.

Vous pouvez remplacer une boîte de haricots rouges par une boîte de légumineuses mélangées.

Chili con carne

FAMILIAL (11 portions d'environ 250 ml)		GROUPE (80 enfants)
500 g (1 lb)	De bœuf maigre haché	4,5 kg
2	Oignons hachés	2 à 2,3 kg
2 branches	De céleri hachées	1 pied
1 (796 ml/28 oz)	Boîte de tomates en dés, non égouttées	2 x (3 l/100 oz)
2 (540 ml/19 oz)	Boîtes de haricots rouges, égouttés et rincés	2 x (3 l/100 oz)
5 ml (1 c. à thé)	D'assaisonnement au chili	Au goût
5 ml (1 c. à thé)	De cumin	Au goût
Au goût	Sel et poivre	Au goût

1. Dans une grande casserole, faire revenir le bœuf à feu moyen-vif en le défaisant à la fourchette environ 5 minutes ou jusqu'à ce qu'il soit bruni.

2. Ajouter les oignons et le céleri. Cuire pendant 3 à 5 minutes ou jusqu'à ce que les oignons soient tendres.

3. Ajouter les tomates, les haricots rouges, l'assaisonnement au chili, le cumin, le sel et le poivre.

4. Brasser, couvrir et laisser mijoter pendant 10 minutes ou jusqu'à ce que les légumes soient tendres.

5. Ajouter de l'eau si le mélange est trop épais. Rectifier l'asssaisonnement.

Des cubes de navet peuvent être ajoutés au même moment que les pommes de terre. Aussi, les haricots verts peuvent être remplacés par des pois verts.

Pot-au-feu

FAMILIAL (10 portions d'environ 250 ml)		**GROUPE** (80 enfants)
PRÉPARATION DU RÔTI DE PALETTE		
1 kg (2 lb)	De rôti de bœuf de palette désossé	7 kg
50 ml (1/4 tasse)	De moutarde de Dijon	Au goût
Au goût	Des épices et des fines herbes	Au goût
PRÉPARATION DU POT-AU-FEU		
5 ml (1 c. à thé)	D'huile	25 ml
3	Oignons hachés finement	1 kg
3 branches	De céleri hachées finement	2 pieds
500 ml (2 tasses)	De bouillon de bœuf	750 ml
750 ml (3 tasses)	De carottes pelées, coupées en bâtonnets	2 kg
750 ml (3 tasses)	De pommes de terre en cubes	10 kg
Au goût	Sel et poivre	Au goût
1 ml (1/4 c. à thé) de chacun	De thym séché et de sariette séchée	Au goût
500 ml (2 tasses)	De haricots verts en morceaux (frais ou congelés)	Au goût

Pot-au-feu (suite)

CUISSON DU RÔTI DE PALETTE

1. Badigeonner la pièce de viande de moutarde de Dijon. Déposer dans un grand plat profond allant au four.

2. Sous le gril, faire dorer la pièce de viande de tous les côtés. Recouvrir d'eau puis ajouter des épices et des herbes au goût.

3. Recouvrir de papier d'aluminium. Cuire au four à 160°C (325°F) pendant environ 1 h 30 ou jusqu'à ce que le thermomètre à viande indique 70°C (160°F).

4. Laisser reposer pendant 15 minutes pour faciliter le découpage.

5. Hacher la pièce de viande grossièrement au couteau. Réserver.

CUISSON DU POT-AU-FEU

1. Dans une grande casserole à fond épais, faire chauffer l'huile. Ajouter les oignons et le céleri. Faire sauter pendant 3 minutes ou jusqu'à ce que les oignons soient tendres.

2. Ajouter le bouillon de bœuf, les carottes, les pommes de terre, les assaisonnements et le bœuf.

3. Recouvrir d'eau et laisser mijoter 20 minutes ou jusqu'à ce que les légumes soient tendres. Incorporer les haricots verts.

4. Cuire pendant 10 minutes ou jusqu'à ce que les haricots soient chauds.

Au fur et à mesure que les enfants s'habituent au goût des lentilles, vous pouvez diminuer peu à peu la quantité de bœuf haché et augmenter la quantité de lentilles. Vous pourriez aussi remplacer le bœuf par des produits « sans viande ».

Pâté chinois mi-végé

FAMILIAL (6 portions d'environ 300 ml)		GROUPE (80 enfants)
1 l (4 tasses) (environ 8 pommes de terre)	De purée de pommes de terre, assaisonnée au goût	Environ 18 kg de pommes de terre à mettre en purée
250 g (1/2 lb)	De bœuf maigre haché	2,5 kg
1	Oignon haché finement	1 kg
1 branche	De céleri hachée	2 pieds
250 ml (1 tasse)	De lentilles cuites	1,75 l de lentilles sèches (à cuire avant de débuter la recette)
1 (284 ml/10 oz)	Boîte de maïs en crème	1 (3 l/100 oz)
1 (199 ml/7 oz)	Boîte de maïs en grains	1 (3 l/100 oz)

1. Préchauffer le four à 190°C (375°F).

2. Préparer la purée de pommes de terre. Réserver.

3. Dans un grand poêlon, faire revenir le bœuf à feu moyen-vif en le défaisant à la fourchette environ 5 minutes ou jusqu'à ce qu'il soit bruni.

4. Ajouter l'oignon et le céleri. Cuire pendant 3 à 5 minutes ou jusqu'à ce que l'oignon soit tendre.

5. Ajouter les lentilles cuites et brasser. Mettre le mélange de viande dans un plat de 3 litres (12 po X 8 po) allant au four. Étendre le maïs en crème et le maïs en grains sur le dessus puis couvrir de la purée de pommes de terre.

6. Cuire au four de 20 à 25 minutes ou jusqu'à ce que le dessus soit doré.

Selon l'Encyclopédie visuelle des aliments, le paprika peut avoir une couleur et une saveur plus ou moins prononcées qui varient selon les variétés de poivrons et piments rouges utilisées et selon qu'on ne moud que la chair ou la chair ainsi que la tige, le cœur et les graines. Plus il y aura de graines présentes lors du broyage et du séchage, plus le paprika sera piquant.

Bœuf mijoté

FAMILIAL (15 portions d'environ 250 ml)

15 ml (1 c. à table)	D'huile
1,5 kg (3 livres)	De bœuf en cubes
3	Oignons émincés
50 ml (1/4 tasse)	De paprika
3 gousses	D'ail émincées
50 ml (1/4 tasse)	De farine blanche non blanchie
1 litre (4 tasses)	De bouillon de bœuf
250 ml (1 tasse)	De vin rouge (facultatif)
2 ml de chacun	De basilic séché, de graines de carvi, de thym séché
15 ml (1 c. à table)	De pâte de tomates
Au goût	Sel et poivre

1. Dans une grande casserole, faire chauffer l'huile à feu moyen. Saisir les cubes de bœuf de tous les côtés. Ajouter les oignons, le paprika et l'ail et faire revenir pendant 3 minutes ou jusqu'à ce que les oignons soient tendres.

2. Ajouter la farine, le bouillon de bœuf, le vin rouge, le basilic, les graines de carvi, le thym et la pâte de tomates. Assaisonner et bien mélanger. Amener à ébullition. Réduire le feu, couvrir et laisser mijoter pendant 1 heure ou jusqu'à ce que la viande soit tendre.

 Certains vins rouges fins peuvent avoir été en contact avec une émulsion de blancs d'œufs afin d'enlever les impurtés.

 Le goût du gingembre frais fait toute la différence.

Chop suey à la dinde

FAMILIAL (8 portions d'environ 250 ml)		GROUPE (80 enfants)
25 ml (2 c. à table)	D'huile	Au goût
1	Oignon émincé	1 à 2 kg
2 branches	De céleri en morceaux	2 pieds
1/2	Poivron rouge en lanières	3
1/2	Poivron vert en lanières	3
250 ml (1 tasse)	De champignons en quartiers	4 cellos (format d'épicerie)
350 g (3/4 de livre)	De dinde cuite tranchée	7 kg de haut de cuisse de dinde désossée
2 ml (1/2 c. à thé)	De gingembre moulu (15 ml de racine de gingembre hachée finement)	Au goût
500 g (1 lb)	De fèves germées fraîches	11 kg
250 ml (1 tasse)	De bouillon de poulet	8 l
50 ml (1/4 tasse)	De sauce soya	Au goût

1. Dans une grande casserole, faire chauffer l'huile à feu vif. Faire revenir l'oignon, le céleri, les poivrons et les champignons.

2. Ajouter la dinde, le gingembre et les fèves germées. Faire sauter pendant 3 minutes ou jusqu'à ce que les fèves germées soient tendres mais croquantes.

3. Ajouter le bouillon de poulet et la sauce soya. Cuire en remuant environ 2 minutes ou jusqu'à ce que la préparation soit chaude.

Sachez que les légumes congelés sont une excellente alternative nutritive lorsque les légumes frais ne sont pas en saison ou lorsque le temps nous manque.

Dinde paysanne

FAMILIAL (10 portions d'environ 250 ml)		GROUPE (80 enfants)
1 l (4 tasses) (environ 8 pommes de terre)	De purée de pommes de terre, assaisonnée au goût	Environ 18 kg de pommes de terre à mettre en purée
500 g (1 lb)	De dinde cuite, en morceaux	11 kg
15 ml (1 c. à table)	D'huile	Au goût
1	Gros oignon haché	2 kg
2 branches	De céleri hachées	3 à 4 pieds
750 ml (3 tasses)	De légumes mélangés	4,5 kg
1 recette de format familial (voir recette page 63)	De sauce béchamel (assez épaisse)	1 recette de format de groupe (voir recette page 64)

1. Préchauffer le four à 190°C (375°F).

2. Préparer la purée de pommes de terre. Réserver.

3. Dans un plat de 3 l (12 po X 8 po) allant au four, disposer la dinde cuite. Réserver.

4. Dans un poêlon, faire chauffer l'huile à feu moyen et faire revenir l'oignon et le céleri environ 3 minutes ou jusqu'à ce que l'oignon soit tendre. Réserver.

5. Dans une casserole d'eau bouillante, faire cuire les légumes pendant 2 à 3 minutes ou jusqu'à ce qu'ils soient tendres mais croquants. Bien égoutter. Remettre dans la casserole. Ajouter aux légumes, l'oignon, le céleri et la sauce béchamel. Mélanger le tout et déposer sur la dinde. Couvrir de purée de pommes de terre.

6. Cuire au four de 40 à 45 minutes ou jusqu'à ce que le dessus soit doré.

 J'utilise des petites feuilles d'épinards (bébés épinards) car je n'ai pas besoin de les parer et de les hacher.

Poulet aux épinards

FAMILIAL (8 portions d'environ 250 ml)		GROUPE (80 enfants)
25 ml (2 c. à table)	D'huile végétale	Au goût
500 g (1 lb)	De poitrine de poulet désossée sans peau, coupée en cubes	4,5 kg
1	Oignon haché	1 kg
2 gousses	D'ail hachées	4 gousses
1 (796 ml/28 oz)	Boîte de tomates en dés non égouttées	1 (3 l/100 oz) en dés et 1 (1,5 l/50 oz) broyées
250 ml (1 tasse)	De bouillon de poulet ou d'eau	Suffisamment pour recouvrir le tout
1 (540 ml/19 oz)	Boîte de pois chiches égoutés et rincés	3 l de pois chiches cuits ou 1 l secs (à cuire avant de débuter la recette)
25 ml (2 c. à table)	De pâte de tomates	1 (369 g/13 oz)
2 ml (1/2 c. à thé)	De cumin	Au goût
5 ml (1 c. à thé)	De sucre	50 ml
750 ml (3 tasses)	D'épinards frais hachés	1,5 kg

1. Dans une grande casserole, chauffer l'huile à feu moyen. Cuire le poulet jusqu'à ce que la chair ne soit plus rosée.

2. Ajouter l'oignon et l'ail. Faire revenir environ 2 minutes.

3. Ajouter les tomates, l'eau ou le bouillon, les pois chiches, la pâte de tomates, le cumin et le sucre. Faire mijoter à feu doux environ 10 minutes.

4. Ajouter les feuilles d'épinards. Bien mélanger et servir.

Lorsque vous faites sauter l'oignon et le céleri, vous pouvez ajouter 500 ml (2 tasses) de légumes congelés. Aussi, vous pouvez ajouter au mélange de jus d'orange, 15 ml (1 c. à table) de racine de gingembre hachée finement ou 2 ml (1/2 c. à thé) de gingembre moulu.

Poulet sauté à l'orange

FAMILIAL (6 portions)		GROUPE (80 enfants)
15 ml (1 c. à table)	D'huile	Au goût
500 g (1 lb)	De poulet en cubes ou en lanières	5,5 kg de cubes de poulet cuit
1/2	Oignon haché	1 kg
2 branches	De céleri hachées	2 pieds
250 ml (1 tasse)	De jus d'orange	3 l
25 ml (2 c. à table)	De sauce soya	250 ml
5 ml (1 c. à thé)	De sucre	175 ml
50 ml (1/4 tasse)	D'eau	Suffisamment pour délayer la fécule de maïs
25 ml (2 c. à table)	De fécule de maïs	1 tasse

1. Dans un grand poêlon, faire chauffer l'huile à feu vif. Faire dorer le poulet pendant 3 minutes.

2. Ajouter l'oignon et le céleri et faire sauter 3 minutes ou jusqu'à ce que les légumes soient tendres mais croquants.

3. Dans un bol, mélanger le jus d'orange, la sauce soya et le sucre. Incorporer au poulet. Porter à ébullition puis réduire le feu et laisser mijoter pendant 3 à 5 minutes ou jusqu'à ce que la chair du poulet ne soit plus rosée à l'intérieur.

4. Placer le poulet dans un plat de service en prenant soin de laisser le mélange à l'orange dans le poêlon.

5. Dans un petit bol, mélanger l'eau et la fécule de maïs jusqu'à consistance lisse puis verser dans le poêlon. Porter à ébullition en remuant. Verser la sauce à l'orange sur le poulet.

Le Guide alimentaire canadien recommande de choisir des viandes maigres préparées avec peu ou pas de matières grasses ou de sel. La recette de poulet à la mangue est un choix parfait.

Poulet à la mangue

FAMILIAL (6 portions d'environ 250 ml)

15 ml (1 c. à table)	D'huile
500 g (1 lb)	De poitrine de poulet désossée sans peau, coupée en cubes
1	Oignon haché
2	Mangues pelées et tranchées
250 ml (1 tasse)	De bouillon de poulet
5 ml (1 c. à thé)	De zeste de citron
2 ml (1/2 c. à thé)	De coriandre moulue
2 ml (1/2 c. à thé)	De cannelle moulue
Au goût	Sel et poivre

1. Dans une grande casserole, chauffer l'huile à feu moyen. Cuire le poulet pendant 10 minutes ou jusqu'à ce que la chair ne soit plus rosée.

2. Ajouter l'oignon et les mangues. Faire revenir environ 2 minutes.

3. Ajouter le bouillon de poulet, le zeste de citron, la coriandre, la cannelle, le sel et le poivre. Couvrir et laisser mijoter à feu doux environ 10 minutes.

Selon l'Encyclopédie visuelle des aliments, le curry constitue la base de la cuisine indienne. Il peut contenir aussi peu que cinq ingrédients ou jusqu'à une cinquantaine. Il contient presque toujours de la cannelle, de la coriandre, du cumin, du curcuma, du poivre, de la cardamome, du gingembre, de la muscade et du clou de girofle. La pâte de curry se conserve au réfrigérateur lorsque le contenant est entamé.

Poulet à la pâte de curry

FAMILIAL (6 portions)

25 ml (2 c. à table)	De pâte de curry (Patak's)
15 ml (1 c. à table)	De farine blanche non blanchie
500 ml (2 tasses)	De boisson de soya
Au goût	Sel et poivre
500 g (1 lb)	De poitrines de poulet désossées sans peau, coupées en cubes

1. Dans un grand plat allant au four, mélanger la pâte de curry, la farine, la boisson de soya, le sel et le poivre. Ajouter les cubes de poulet. Couvrir et laisser macérer environ 1 heure au réfrigérateur.

2. Préchauffer le four à 180°C (350°F).

3. Retirer la marinade et égoutter les poitrines de poulet. Remettre les poitrines de poulet dans le grand plat.

4. Faire cuire au four 20 minutes ou jusqu'à ce que la chair ne soit plus rosée.

 Afin de réduire au maximum la quantité de lipides saturés dans l'alimentation, le Guide alimentaire canadien propose de consommer régulièrement des légumineuses et du tofu.

Pâtes aux poivrons et haricots blancs

FAMILIAL (4 portions d'environ 350 ml)

250 g (1/2 livre)	De pâtes alimentaires de blé entier (penne rigate ou rotini)
5 ml (1 c. à thé)	D'huile
1	Oignon haché finement
1 gousse	D'ail émincée
1	Poivron rouge en lanières
1	Poivron jaune en lanières
1 (398 ml)	Boîte de sauce tomate
1 (540 ml/19 oz)	Boîte de haricots blancs, égouttés et rincés
125 ml (1/2 tasse)	De basilic frais haché (ou 5 ml (1 c. à thé) de basilic séché)
Au goût	Sel et poivre

1. Dans une grande casserole d'eau bouillante, faire cuire les pâtes alimentaires jusqu'à ce qu'elles soient al dente. Égoutter et réserver.

2. Dans une grande casserole, chauffer l'huile à feu moyen. Faire revenir l'oignon, l'ail et les poivrons environ 5 minutes ou jusqu'à ce que l'oignon soit tendre. Ajouter la sauce tomate et les haricots blancs. Couvrir et laisser mijoter 5 minutes ou jusqu'à ce que les poivrons soient tendres. Ajouter le basilic, le sel et le poivre.

3. Verser la sauce sur les pâtes alimentaires et servir.

Ajoutez à cette recette une macédoine de légumes, des tomates, des petits pois ou du maïs. En plus, de donner de la couleur au plat, vous ajoutez des vitamines, des minéraux et des fibres alimentaires.

Macaroni au thon

FAMILIAL (8 portions d'environ 150 ml)		GROUPE (80 enfants)
250 g (1/2 livre)	De pâtes alimentaires de blé entier (macaroni coupé)	4 kg
500 ml (2 tasses) 1 recette de format familial (voir recette page 63)	De sauce béchamel	3 recettes de format de groupe (voir recette page 64)
3 x 170 g net	Boîtes de thon égoutté	3 x 1,8 kg
Au goût	Sel et poivre	Au goût

1. Dans une grande casserole d'eau bouillante, faire cuire les pâtes jusqu'à ce qu'elles soient al dente. Égoutter et remettre les pâtes dans la casserole.

2. Entre temps, préparer la sauce béchamel au four à micro-ondes.

3. Verser la sauce sur les pâtes alimentaires.

4. Incorporer le thon, assaisonner et mélanger délicatement.

5. Servir immédiatement.

Les poissons cuits en grande friture et les sandwichs de poisson de type restauration rapide ne présentent pas les mêmes avantages pour la santé cardiovasculaire. Afin de retirer le maximum d'avantages de la consommation de poisson, il faut utiliser des modes de préparation nécessitant moins de matières grasses.

Pâtes au thon, aux olives, aux câpres et au citron

FAMILIAL (10 portions d'environ 125 ml)

250 g (1/2 livre)	De pâtes alimentaires de blé entier (fusilli ou boucles)
15 ml (1 c. à table)	D'huile d'olive
4 gousses	D'ail émincées
5 ml (1 c. à thé)	De zeste de citron
50 ml (1/4 tasse)	De jus de citron
4	Oignons verts hachés
15 ml (1 c. à table)	De câpres égouttées
10	Olives noires dénoyautées en quartiers
4 x 170 g net	Boîtes de thon égoutté
50 ml (1/4 tasse)	De persil frais haché finement
Au goût	Sel et poivre

1. Dans une grande casserole d'eau bouillante, faire cuire les pâtes alimentaires jusqu'à ce qu'elles soient al dente. Égoutter et réserver.

2. Dans un grand poêlon, chauffer l'huile à feu moyen. Faire revenir l'ail environ 1 minute. Ajouter le zeste et le jus de citron, les oignons verts, les câpres et les olives et faire revenir environ 2 minutes. Ajouter le thon. Chauffer le tout environ 5 minutes en remuant délicatement. Ajouter le persil, assaisonner.

3. Verser la sauce sur les pâtes alimentaires et servir.

 Selon une étude, l'apport moyen de la population québécoise en fibres alimentaires varie de 13 g à 19 g par jour alors qu'elle devrait se situer à environ 30 g par jour. Alors, pour augmenter l'apport de fibres alimentaires de toute la famille, accompagnez cette savoureuse sauce de pâtes alimentaires de blé entier. Si vous êtes curieux, consultez le site www.duplaisirabienmanger.com afin de calculer votre apport en fibres alimentaires.

Sauce rosée au veau

FAMILIAL (8 portions d'environ 250 ml)		GROUPE (80 enfants)
500 g (1 lb)	De veau maigre haché	4,5 kg
1	Oignon haché finement	1 kg
2 branches	De céleri hachées finement	2 pieds
1 (796 ml/28 oz)	Boîte de tomates en dés égouttées	1 x 100 oz
1 (156 ml/5,5 oz)	Boîte de pâte de tomates	1 x 100 oz
125 ml (1/2 tasse)	De lait	3 l
125 ml (1/2 tasse)	De crème 35 %	1 l
5 ml (1 c. à thé)	De fines herbes provençales	Au goût
5 ml (1 c. à thé)	D'origan séché	Au goût
1 ml (1/4 c. à thé)	De sel de céleri	
Au goût	Sucre	Au goût
Au goût	Sel et poivre	Au goût

1. Dans une grande casserole, faire revenir le veau à feu moyen-vif en le défaisant à la fourchette environ 5 minutes ou jusqu'à ce qu'il soit bruni.

2. Ajouter l'oignon et le céleri, faire cuire jusqu'à ce que l'oignon soit tendre. Ajouter le reste des ingrédients et brasser.

3. Faire mijoter au moins 15 minutes à feu doux ou jusqu'à ce que la sauce soit plus épaisse.

 La tomate rouge cuite contient du lycopène facilement absorbable par le corps. Le lycopène est un anti-oxydant puissant. Il empêche les substances instables produites au cours du fonctionnement normal de l'organisme (radicaux libres) d'oxyder les autres atomes. Les radicaux libres contribuent à l'apparition de plusieurs maladies.

Sauce à spaghetti mi-végé

FAMILIAL (16 portions d'environ 125 ml)		GROUPE (80 enfants)
500 g (1 lb)	De bœuf maigre haché	2 à 3 kg
1	Oignon haché finement	1 kg
2 branches	De céleri hachées finement	2 pieds
2 gousses	D'ail émincées	Au goût
1 (796 ml/28 oz)	Boîte de tomates en dés (non égouttées)	1 (3 l/100 oz)
3 x (156 ml/5,5 oz)	Boites de pâte de tomates	1 (3 l/100 oz)
1 (540 ml/19 oz)	Boîte de lentilles égouttées et rincées	1,5 l de lentilles sèches (cuire avant de débuter la recette)
250 ml (1 tasse)	De jus de légumes	1 ou 2 x (1,5 l/48 oz)
250 ml (1 tasse)	De jus de tomate	1 (1,5 l/48 oz)
5 ml (1 c. à thé)	De sucre	Au goût
2 ml (1/2 c. à thé) de chacun	De sel de céleri , de basilic séchée, et d'origan séché	Au goût
5 ml (1 c. à thé)	De fines herbes provençales	Au goût
Au goût	Sel et poivre	Au goût

1. Dans une grande casserole, faire revenir le bœuf haché à feu moyen-vif en le défaisant à la fourchette environ 5 minutes ou jusqu'à ce qu'il soit bruni.

2. Ajouter l'oignon, le céleri et l'ail. Cuire pendant 3 à 5 minutes ou jusqu'à ce que l'oignon soit tendre.

3. Ajouter le reste des ingrédients et faire mijoter au moins 1 heure en remuant de temps à autre.

À partir de l'âge de 2 ans et ce jusqu'à l'âge adulte, le Guide alimentaire canadien recommande de consommer 500 ml (2 tasses) de lait chaque jour puisqu'il s'agit de la principale source alimentaire de vitamine D.

Sauce béchamel au four à micro-ondes

FAMILIAL (4 portions d'envrion 125 ml)

25 ml (2 c. à table)	De beurre ou margarine non hydrogénée
1	Oignon haché
2 branches	De céleri hachées
25 ml (2 c. à table)	De farine
500 ml (2 tasses)	De lait
Au goût	Sel, poivre, épices et fines herbes

1. Dans un bol d'un litre (4 tasses) allant au four à micro-ondes, mettre le beurre ou la margarine, l'oignon et le céleri.

2. Cuire à puissance moyenne (70 %) 1 minute ou jusqu'à ce que les légumes soient tendres.

3. Incorporer la farine. Ajouter le lait graduellement à l'aide d'un fouet. Cuire au four à micro-ondes à puissance maximale pendant 2 minutes. Mélanger au fouet.

4. Par la suite, cuire pendant 3 à 5 minutes en mélangeant au fouet après chaque minute. Assaisonner et bien mélanger.

Un enfant qui consomme une grande variété d'aliments, dont des céréales enrichies en fer, peut consommer du lait de vache à 3,25 % de matières grasses dès l'âge de 9 à 12 mois. Le lait à 3,25 % de matières grasses est recommandé jusqu'à l'âge de 2 ans car les gras du lait aident à combler les besoins énergétiques de l'enfant. À partir de 2 ans, le lait à 2 % de matières grasses et, petit à petit, le lait à 1 % de matières grasses peuvent être servis.

Sauce béchamel

GROUPE (80 enfants)

125 ml	D'huile
1 kg	Oignons hachés
1 pied	De céleri haché
500 ml	De farine
4 l	De liquide (eau, lait, jus de tomate, etc.)
Au goût	Sel, poivre, épices et fines herbes

1. Dans une grande casserole, chauffer l'huile. Faire revenir l'oignon et le céleri jusqu'à ce que l'oignon soit tendre. Ajouter un peu d'eau et laisser cuire.

2. Mettre la farine dans 2 litres (8 tasses) de liquide et bien mélanger. Ajouter le reste du liquide. Brasser et faire cuire jusqu'à ce que le mélange frémisse et soit épais.

3. Transférer la sauce dans un mélangeur afin de broyer les légumes (si désiré). Assaisonner au goût.

les collations et les desserts

Recettes	Par portion de...	Calories	Protéines (g)	Glucides (g)	Lipides (g)	Fer (mg)	Calcium (mg)
Trempette au fromage à la crème et à l'orange	30 ml	70	2	3	5,0	0,24	14,9
Trempette fruitée à la Minigo	1 portion	110	3	18	3,0	0,07	167,0
Brochettes de fruits, sauce au chocolat	1 brochette	147	2	33	2,0	0,45	67,0
Carrés de yogourt aux bleuets	1 carré	60	1	10	2,0	0,21	17,7
Gélatine au jus de raisin	125 ml	80	2	17	0,1	0,14	5,6
Pouding au tofu	125 ml	100	6	13	2,5	0,51	106,9
Pouding au chocolat	125 ml	150	4	27	2,5	0,14	123,9
Tapioca à l'ananas et à la pomme	125 ml	80	3	13	1,5	0,16	102,0
Garniture aux flocons d'avoine au goût d'érable	15 ml	60	1	10	2,0	0,47	9,3
Garniture de fruits séchés	15 ml	25	0	6	0,1	0,15	4,6
Smoothie « Earth Shake »	1 portion	160	9	23	4,0	2,47	245,6
Limonade aux framboises	125 ml	45	0	11	0,1	0,14	7,5
Sucettes glacées au melon d'eau	100 ml	35	1	7	0,1	0,22	6,4
Pêches aux amandes au four	1 portion	90	1	18	1,5	0,42	16,0
Muffins...	1 portion	150	4	21	5,0	1,08	97,2
Muffins à la salade de fruits	1 portion	190	3	31	6,0	1,30	84,7
Muffins aux poires	1 portion	160	4	24	5,0	1,44	116,0
Biscuits...	1 portion	100	2	13	4,5	0,60	23,5
Biscuits au citron	1 portion	70	2	10	2,0	0,49	25,1
Biscuits aux deux chocolats	1 portion	160	3	20	7,0	1,08	26,8
Pain aux canneberges	1 portion	150	3	24	5,0	0,99	88,3
Croustade aux pommes	1 portion	110	1	13	5,0	0,51	9,5
Barre de céréales aux cerises	1 portion	190	3	28	7,0	1,54	31,9
Gâteau musclo	1 portion	100	2	16	3,0	0,82	56,7
Gâteau double chocolat	1 portion	360	4	44	19,0	2,82	45,3

Le Guide alimentaire canadien recommande de choisir des substituts du lait plus faibles en matières grasses.

Trempette au fromage à la crème et à l'orange

FAMILIAL (10 portions de 30 ml)

125 ml (1/2 tasse)	De jus d'orange
5 ml (1 c. à thé)	De zeste d'orange frais
15 ml (1 c. à table)	De fécule de maïs
1	Œuf battu
1 paquet (125 g)	De fromage à la crème léger
Au goût	Des fruits frais lavés, parés et coupés (raisins verts, raisins rouges, cantaloup, pommes, etc.)

1. Dans une casserole, mélanger le jus d'orange, le zeste d'orange et la fécule de maïs. Cuire à feu moyen pendant 5 minutes ou jusqu'à ce que le mélange soit clair et épais. Remuer constamment.

2. Verser un peu du mélange chaud sur l'œuf battu. Remettre ce mélange dans la casserole. Cuire à feu doux jusqu'à ce que le mélange épaississe légèrement. Laisser refroidir pendant 5 minutes.

3. Incorporer le fromage à la crème. Battre jusqu'à consistance lisse.

4. Laisser refroidir environ 2 heures. Servir avec les fruits.

PRÉPARATION : 5 minutes

Trempette fruitée à la Minigo

FAMILIAL (2 portions)

2 contenants	De Yoplait Minigo fromage frais (60 g) (choisir la saveur préférée de vos enfants)
Au goût	Lait
Au goût	Fruits, parés et coupés

1. Dans un petit bol, verser les Yoplait Minigo fromage frais. À l'aide d'un fouet ou d'une fourchette, battre le fromage frais en y ajoutant la petite quantité de lait jusqu'à l'obtention d'une texture crémeuse.

2. Servir les morceaux de fruits avec la trempette Minigo.

PRÉPARATION : 15 minutes

Brochettes de fruits, sauce au chocolat

FAMILIAL (4 portions)

1 contenant	De Yoplait Minigo fromage frais à la vanille (100g)
25 ml (1 c. à table)	De sauce chocolat liquide du commerce
4	Fraises de grosseur petite à moyenne, coupées en 2
1	Pomme, coupée en 4
1	Banane, tranchée en 4
1	Poire, coupée en 4
1	Kiwi, coupé en 4

1. Dans un bol, mélanger le Yoplait Minigo et la sauce chocolat. Mettre au réfrigérateur.

2. Commencer la brochette avec la fraise en alternant avec les autres fruits. Terminer la brochette avec une fraise.

3. Déposer la brochette dans une assiette avec la sauce et servir.

Autres recettes **Minigo** simples et savoureuses disponibles sur yoplait.ca

Bien manger avec le Guide alimentaire canadien souligne l'importance des aliments du groupe alimentaire légumes et fruits. C'est dans ce groupe que l'on retrouve le plus grand nombre de portions à consommer.

Carrés de yogourt aux bleuets

FAMILIAL (18 portions)		GROUPE (80 enfants)
CROÛTE		
250 ml (1 tasse)	De germe de blé	1 contenant (340 g)
22	Biscuits Social thé (pour obtenir 125 ml (1/2 tasse) de chapelure)	5 sachets
25 ml (2 c. à table)	D'huile	500 ml
GARNITURE AUX BLEUETS		
50 ml (1/4 tasse)	De fécule de maïs	Au goût
250 ml (1 tasse)	De jus de raisin	—
750 ml (3 tasses)	De bleuets surgelés	3 sacs de 1 kg
GARNITURE AU YOGOURT		
125 ml (1/2 tasse)	De jus de raisin	—
2 sachets	De gélatine sans saveur	125 ml
125 ml (1/2 tasse)	De jus de raisin	1 contenant de 960 ml
375 ml (1 1/2 tasse)	De yogourt à la vanille	5 contenants de 750 g

CROÛTE

1. Au robot culinaire, réduire en chapelure le germe de blé et les biscuits. Ajouter l'huile et battre à nouveau afin de rendre la chapelure humide.

2. Verser la chapelure dans un moule carré de 23 cm (9 po.) Étendre et presser fermement la chapelure. Réfrigérer.

GARNITURE AUX BLEUETS / FORMAT FAMILIAL

1. Dans une casserole, mettre la fécule de maïs. Ajouter petit à petit le jus de raisin afin de délayer la fécule de maïs. Porter à ébullition en remuant sans arrêt et laisser bouillir une minute pour épaissir. Ajouter les bleuets et bien mélanger. Étendre la garniture sur la croûte. Réfrigérer.

Carrés de yogourt aux bleuets (suite)

GARNITURE AUX BLEUETS / FORMAT DE GROUPE

Nous suggérons de faire cette étape une journée avant de faire le montage final de la recette afin que le mélange de bleuets soit froid.

1. Dans une marmite, mettre 2 kg de bleuets et un peu d'eau afin de faire une confiture. Ajouter la fécule de maïs si nécessaire. La confiture doit être consistante. Laisser refroidir. Étendre la confiture sur la croûte.

2. Étendre les bleuets restant (1 kg) sur la confiture. Réfrigérer.

GARNITURE AU YOGOURT

1. Dans un grand bol, verser le jus de raisin 125 ml (1/2 tasse). Saupoudrer la gélatine sur le jus de raisin. Réserver.

2. Dans une casserole, verser l'autre partie de jus de raisin 125 ml (1/2 tasse). Couvrir et amener à ébullition.

3. Verser le jus de raisin bouillant sur le mélange de gélatine. Brasser jusqu'à dissolution complète de la gélatine. Ajouter le yogourt et bien mélanger.

4. Étendre le mélange de yogourt sur la garniture aux bleuets.

5. Réfrigérer environ 20 minutes ou jusqu'à ce que le yogourt soit gélifié.

Gélatine au jus de raisin

FAMILIAL (8 portions de 125 ml)		GROUPE (80 enfants)
1l (4 tasses)	De jus de raisin	8 X (960 ml)
2 sachets	De gélatine sans saveur	500 ml
—	Boîtes de jus de fruits concentré congelé (à votre choix)	1 ou 2

1. Dans un grand bol, verser une partie 125 ml (1/2 tasse) du jus de raisin. Saupoudrer la gélatine sur le jus de raisin. Réserver.

2. Dans une casserole, verser l'autre partie de jus de raisin 875 ml (3 1/2 tasse). Couvrir et amener à ébullition. Verser le jus de raisin bouillant sur le mélange de gélatine. Brasser jusqu'à dissolution complète de la gélatine.

3. Verser dans des bols de service. Réfrigérer environ 2 heures ou jusqu'à ce que le tout soit gélifié.

Ce mélange se met bien au congélateur pour en faire de délicieuses sucettes glacées.

Pouding au tofu

FAMILIAL (6 portions de 125 ml)		GROUPE (80 enfants)
375 ml (1 1/2 tasse)	De yogourt aux fruits	6 l
Facultatif	De sucre	Facultatif
1 paquet	De tofu mou soyeux (340g/12 oz)	6 paquets

1. Au robot culinaire ou au mélangeur, battre le yogourt, les fruits et le sucre. Ajouter le tofu. Mélanger jusqu'à consistance homogène. Servir bien froid.

Si facile à faire que vos enfants peuvent le cuisiner avec un peu d'aide... Bon goût et moins sucré que le pouding au chocolat régulier commercial.

Pouding au chocolat

FAMILIAL (6 portions de 125 ml)		GROUPE (80 enfants)
60 ml (4 c. à table)	De fécule de maïs	1 l
75 ml (1/3 tasse)	De sucre	1,325 l
Une pincée	De sel	Une pincée
50 ml (1/4 tasse)	De cacao	1 l
125 ml (1/2 tasse)	De lait (froid)	2 l
550 ml (2 1/4 tasse)	De lait (chaud)	9 l

1. Dans un petit bol, mettre la fécule de maïs, le sucre, le sel, le cacao et le lait froid puis bien mélanger. Réserver.

2. Dans un bol d'une capacité de 2 l (8 tasses) allant au four à micro-ondes, mettre 550 ml (2 1/4 tasses) de lait. Faire cuire à puissance moyenne (70 %) pendant 3 minutes. Ajouter le mélange de fécule de maïs en mélangeant à l'aide d'un fouet.

3. Cuire à puissance maximale pendant 5 minutes en brassant après 2 minutes et par la suite après chaque minute. Verser dans des coupes à dessert (couvrir d'une pellicule plastique). Réfrigérer au moins 1 heure avant de servir.

Le site Internet de la Fédération des producteurs de pommes du Québec est agréable à consulter pour toute la famille. On y retrouve, entre autres, des fiches descriptives et des photos des différentes pommes cultivées au Québec. (www. lapommeduquebec.ca).

Tapioca à l'ananas et à la pomme

FAMILIAL (8 portions de 125 ml)

50 ml (1/4 tasse)	De tapioca
15 ml (1 c. à table)	De sucre
625 ml (2 1/2 tasses)	De lait
1 ml (1/4 c. à thé)	De cannelle
150 ml (2/3 tasse)	De purée d'ananas et de pomme non sucrée
5 ml (1 c. à thé)	De vanille

1. Dans une grande casserole, mettre le tapioca, le sucre et le lait. Laisser reposer 5 minutes.

2. Porter à ébullition à feu moyen, en remuant constamment.

3. Retirer du feu. Ajouter la cannelle, la purée de fruits et la vanille.

4. Verser dans des coupes à dessert ou dans des petits plats en plastique (recouvrir d'une pellicule plastique ou placer un couvercle).

5. Réfrigérer environ 30 minutes.

Note : Certaines personnes préfèrent le tapioca chaud.

En ajoutant 15 ml de cette garniture au yogourt nature ou sur du pouding à la vanille, on ajoute des fibres alimentaires à un dessert riche en calcium. Quelle bonne idée!

Garniture aux flocons d'avoine au goût d'érable

FAMILIAL et GROUPE (55 portions de 15 ml)

750 ml (3 tasses)	De flocons d'avoine à l'ancienne (gruau à l'ancienne, non cuit)
250 ml (1 tasse)	De germe de blé (non cuit)
250 ml (1 tasse)	De son d'avoine (non cuit)
250 ml (1 tasse)	De sirop d'érable
75 ml (1/3 tasse)	D'huile
5 ml (1 c. à thé)	De vanille
5 ml (1 c. à thé)	De cannelle moulue
5 ml (1 c. à thé)	De muscade moulue

1. Préchauffer le four à 160°C (300°F).

2. Dans un grand bol, mélanger les flocons d'avoine, le germe de blé et le son d'avoine. Réserver.

3. Dans une casserole, cuire à feu doux le sirop d'érable et l'huile jusqu'à ce que le mélange soit liquide.

4. Retirer la casserole du feu. Ajouter la vanille, la cannelle et la muscade.

5. Verser le mélange de sirop d'érable et d'épices sur les céréales. Bien mélanger le tout.

6. Étaler la garniture sur une plaque à biscuits légèrement huilée ou recouverte de papier parchemin.

7. Cuire au four environ 30 minutes (remuer à la mi-cuisson).

Note : La garniture se conserve dans des bocaux de verre (pot Mason).

En ajoutant 15 ml de cette garniture au yogourt nature, on maintient le bon fonctionnement des intestins grâce aux fibres alimentaires. En plus, on gâte nos papilles gustatives en donnant au yogourt un goût différent des saveurs traditionnelles.

Garniture de fruits séchés

FAMILIAL (12 portions de 15 ml)

50 ml (1/4 tasse)	De canneberges séchées
50 ml (1/4 tasse)	De pommes séchées en morceaux
50 ml (1/4 tasse)	De raisins séchés
125 ml (1/2 tasse)	De jus d'orange frais
1	Bâtonnet de cannelle

1. Dans une grande casserole, mettre les canneberges, les pommes, les raisins, le jus d'orange et la cannelle. Porter à ébullition.

2. Réduire le feu, couvrir et laisser mijoter environ 10 minutes ou jusqu'à ce que les fruits soient tendres.

3. Retirer le bâtonnet de cannelle. Mettre dans un contenant hermétique et laisser refroidir au réfrigérateur. Servir sur du yogourt nature.

Smoothie « Earth Shake »

FAMILIAL (4 portions de 250 ml)

750 ml (3 tasses)	De boisson de soya et d'avoine Earth Shake (saveur Originale, Vanille, Chocolat ou Non Sucrée)
15 ml (1 c. à table)	De miel
250 ml (1 tasse)	De fruits surgelés (fraises, framboises ou autres fruits)
1/2	Banane

1. Passer tous les ingrédients au mélangeur jusqu'à obtention d'une texture onctueuse.

2. Servir immédiatement le smoothie dans des verres.

Note : Utiliser les petites boîtes à boire Earth Shake 250 ml comme contenant réfrigérant dans vos boîtes à lunch. Il suffit de bien agiter le produit une fois décongelé!

« Je vous recommande Earth Shake, un excellent choix santé pour toute la famille ! »
Hélène Baribeau, **nutritionniste**

EARTH SHAKE, DÉLICIEUSEMENT SANTÉ !

www.earthshake.ca

Limonade aux framboises

FAMILIAL (9 portions de 125 ml)

250 ml (1 tasse)	De framboises surgelées
125 ml (1/2 tasse)	De jus de citron fraîchement pressé
75 ml (1/3 tasse)	De sucre
750 ml (3 tasses)	D'eau

1. Au robot culinaire, battre les framboises, le jus de citron et le sucre jusqu'à consistance homogène. Ajouter l'eau et battre de nouveau.

2. Servir la limonade dans des verres remplis de glaçons.

Sucettes glacées au melon d'eau

FAMILIAL (7 portions de 100 ml)

1 l (4 tasses)	De melon d'eau épépiné coupé en cubes

1. Au robot culinaire, réduire en purée le melon d'eau.

2. Verser dans des moules à sucettes glacées.

3. Congeler au moins 3 heures avant de servir.

Pêches aux amandes au four

FAMILIAL (8 portions)

4	Pêches fraîches pelées, dénoyautées et coupées en deux
75 ml (1/3 tasse)	De marmelade à l'orange
50 ml (1/4 tasse)	De flocons d'avoine
25 ml (2 c. à table)	D'amandes en poudre

1. Préchauffer le four à 180°C (350°F).

2. Dans un plat allant au four, déposer les pêches (côté coupé dessus).

3. Dans une petite casserole, faire fondre la marmelade. À l'aide d'un pinceau, badigeonner les pêches de la marmelade.

4. Dans un bol mettre les flocons d'avoine et les amandes en poudre. Bien mélanger. Garnir les pêches de ce mélange.

5. Cuire au four pendant 20 minutes ou jusqu'à ce que les pêches soient dorées et bouillonnantes. Servir chaud ou froid garni de yogourt à la vanille.

Muffins...

FAMILIAL (12 portions)		GROUPE (env. 135 muffins)
250 ml (1 tasse)	De farines variées	3 l
250 ml (1 tasse)	De flocons de céréales brutes variées (avoine, épeautre, etc.)	3 l
125 ml (1/2 tasse)	De cassonade	1 l
15 ml (1 c. à table)	De poudre à pâte	120 ml
2 ml (1/2 c. à thé)	De bicarbonate de soude	50 ml
2 ml (1/2 c. à thé)	De sel	Une pincée
1	Œuf	–
50 ml (1/4 tasse)	D'huile	500 ml
125 ml (1/2 tasse)	De lait	Suffisamment pour obtenir la texture désirée

1. Préchauffer le four à 200°C (400°F).

2. Dans un grand bol, mélanger la farine, les flocons de céréales brutes, la cassonade, la poudre à pâte, le bicarbonate de soude et le sel.

3. Dans un autre bol, mélanger l'œuf, l'huile et le lait. Incorporer au mélange d'ingrédients secs en remuant juste assez pour humecter.

4. À l'aide d'une cuillère, verser la préparation dans un moule à muffins anti-adhésif ou tapissé de moules en papier.

5. Cuire au four pendant 15 à 20 minutes ou jusqu'à ce que les muffins soient dorés et fermes au toucher.

QUELQUES IDÉES...

Muffins aux poires et au cacao

Utiliser de la farine 7 grains et des flocons d'avoine. Ajouter 250 ml (1 tasse) de poires en purée, 50 ml (1/4 tasse) de cacao et 50 ml (1/4 tasse) de pépites de chocolat.

Muffins aux bananes

Utiliser de la farine blanche non blanchie et des flocons d'avoine. Ajouter 250 ml (1 tasse) de bananes en purée.

Muffins aux pommes et aux canneberges

Utiliser de la farine de blé entier et des flocons d'épeautre. Ajouter 250 ml (1 tasse) de pommes en purée, 125 ml (1/2 tasse) de pommes séchées hachées et 125 ml (1/2 tasse) de canneberges séchées.

Plusieurs autres combinaisons sont possibles : citrouille et raisins, zucchini, orange et dattes, farine d'épeautre, etc.

Laissez votre imagination vous guider.

Muffins à la salade de fruits

FAMILIAL (12 portions)		GROUPE (80 enfants)
250 ml (1 tasse)	De farine de blé entier	3 l
250 ml (1 tasse)	De farine blanche non blanchie	3 l
125 ml (1/2 tasse)	De cassonade	1 l
15 ml (1 c. à table)	De poudre à pâte	125 ml
5 ml (1 c. à thé)	De bicarbonate de soude	50 ml
2 ml (1/2 c. à thé)	De sel	Une pincée
75 ml (1/3 tasse)	D'huile	500 ml
5 ml (1 c. à thé)	De vanille	Au goût
250 ml (1 tasse)	De purée de pomme	750 ml
125 ml (1/2 tasse)	De jus de pomme	Suffisamment pour obtenir la texture désirée
375 ml (1 1/2 tasse)	De salade de fruits égouttée	1 l à 1,5 l

1. Préchauffer le four à 200°C (400°F).

2. Dans un grand bol, mélanger les farines, la cassonade, la poudre à pâte, le bicarbonate de soude et le sel.

3. Dans un autre bol, mélanger l'huile, la vanille, la purée de pomme, le jus de pomme et la salade de fruits. Incorporer au mélange d'ingrédients secs en remuant juste assez pour humecter.

4. À l'aide d'une cuillère, verser rapidement la préparation dans un moule à muffins tapissé de moules en papier, en remplissant aux trois quarts.

5. Cuire au four pendant 20 minutes ou jusqu'à ce que les muffins soient dorés et fermes au toucher.

Pour augmenter la valeur en vitamine C diminuer la quantité de lait à 125 ml (1/2 tasse) et ajouter 125 ml (1/2 tasse) de jus d'orange et remplacer les poires par 300 ml (1 1/4 tasse) de bleuets. Pour augmenter la valeur en vitamine C et en fibres alimentaires diminuer la quantité de lait à 125 ml (1/2 tasse) et ajouter 125 ml (1/2 tasse) de jus de citron et remplacer les poires par 250 ml (1 tasse) de framboises.

Muffins aux poires

FAMILIAL (12 portions)

250 ml (1 tasse)	De farine blanche non blanchie
125 ml (1/2 tasse)	De farine de blé entier
125 ml (1/2 tasse)	De son d'avoine
15 ml (1 c. à table)	De poudre à pâte
5 ml (1 c. à thé)	De cannelle
1	Œuf battu
50 ml (1/4 tasse)	D'huile
250 ml (1 tasse)	De lait
75 ml (1/3 tasse)	De sirop d'érable
300 ml (1 1/4 tasse)	De poires pelées hachées finement

1. Préchauffer le four à 200 °C (400 °F).

2. Dans un grand bol, mélanger les farines, le son, la poudre à pâte et la cannelle.

3. Dans un autre bol, mélanger l'œuf, l'huile, le lait, le sirop d'érable et les poires. Incorporer au mélange d'ingrédients secs en remuant juste assez pour humecter.

4. À l'aide d'une cuillère, verser la préparation dans un moule à muffins tapissé de moules en papier, en remplissant aux trois quarts.

5. Cuire au four pendant 20 minutes ou jusqu'à ce que les muffins soient dorés et fermes au toucher.

Biscuits...

FAMILIAL (20 portions)		GROUPE (env. 200 biscuits)
75 ml (1/3 tasse)	D'huile	500 ml
75 ml (1/3 tasse)	De cassonade	1 l
2	Œufs	—
2 ml (1/2 c. à thé)	De vanille	15 ml
250 ml (1 tasse)	De farines variées	3 l
250 ml (1 tasse)	De flocons d'avoine (ou autres à votre choix)	3 l
2 ml (1/2 c. à thé)	De bicarbonate de soude	50 ml
5 ml (1 c. à thé)	De poudre à pâte	125 ml
125 ml (1/2 tasse)	De fruits séchés	500 ml à 1 l
—	De lait (ou autre liquide)	Suffisamment pour obtenir la texture désirée

1. Préchauffer le four à 180°C (350°F).

2. Dans un bol, à l'aide d'un batteur électrique, battre l'huile, la cassonade et le sucre, les œufs et la vanille.

3. Ajouter la farine, les flocons d'avoine, le bicarbonate de soude et la poudre à pâte. Mélanger. Ajouter les fruits séchés et mélanger à nouveau. (Pour le format de groupe, ajouter du lait pour obtenir la texture désirée).

4. Déposer la pâte à la cuillère (25 ml / 2 c. à table) sur une plaque à biscuits recouverte de papier parchemin.

5. Cuire au four pendant 10 à 12 minutes ou jusqu'à ce que les biscuits soient dorés. Laisser refroidir sur des grilles.

QUELQUES IDÉES...

Biscuits aux carottes

Utiliser de la farine blanche non blanchie et des flocons d'avoine. Remplacer les fruits séchés par 125 ml (1/2 tasse) de carottes râpées.

Biscuits à l'orange et aux dattes

Utiliser de la farine de blé entier et des flocons d'épeautre. Utiliser 125 ml (1/2 tasse) de dattes hachées et ajouter 25 ml (2 c. à table) de zeste d'orange frais.

Chaque portion offre 1 g de fibres alimentaires et 10 g de glucides.

Biscuits au citron

FAMILIAL (36 portions)		**GROUPE** (env. 200 biscuits)
250 ml (1 tasse)	De farine de blé	3 l
250 ml (1 tasse)	De farine blanche non blanchie	3 l
250 ml (1 tasse)	De flocons d'avoine	Facultatif
2 ml (1/2 c. à thé)	De bicarbonate de soude	125 ml
5 ml (1 c. à thé)	De poudre à pâte	125 ml
75 ml (1/3 tasse)	D'huile	500 ml
125 ml (1/2 tasse)	De cassonade	1 l
250 ml (1 tasse)	De yogourt nature	750 ml
15 ml (1 c. à table)	De zeste de citron	Au goût
25 ml (1 c. à table)	De jus de citron	Au goût
—	De jus d'orange	Suffisamment pour obtenir la quantité désirée

1. Préchauffer le four à 180°C (350°F).

2. Dans un bol, mélanger les farines, les flocons d'avoine, le bicarbonate de soude et la poudre à pâte. Réserver.

3. Dans un autre bol, à l'aide d'un batteur électrique, battre l'huile, la cassonade, le yogourt, le zeste de citron et le jus de citron. Incorporer graduellement à la cuillère de bois, le mélange d'ingrédients secs.

4. Déposer la pâte à la cuillère (25 ml / 2 c. à table) sur une plaque à biscuits recouverte de papier parchemin.

5. Cuire au four pendant 10 à 12 minutes ou jusqu'à ce que les biscuits soient dorés. Laisser refroidir sur des grilles.

Vous pouvez tout aussi bien faire cette recette avec de la farine tout usage et de la farine de blé entier en augmentant à 125 ml la quantité de lait et en diminuant à 75 ml la quantité de sucre. Pourquoi utiliser de la farine «bio»? Pour appuyer la protection de l'environnement et pour manger des aliments nutritifs et savoureux.

Biscuits aux deux chocolats

FAMILIAL (30 portions)		GROUPE (35 gros biscuits)
375 ml (1 1/2 tasse)	De farine «bio» blanche à pâtisserie	1,125 l
375 ml (1 1/2 tasse)	De farine «bio» de blé entier à pâtisserie	1,125 l
250 ml (1 tasse)	De flocons d'avoine	750 ml
2 ml (1/2 c. à thé)	De bicarbonate de soude	5 ml
7 ml (1 1/2 c. à thé)	De poudre à pâte	10 ml
175 ml (3/4 tasse)	De beurre ou de margarine non hydrogénée	500 ml
175 ml (3/4 tasse)	De sucre de canne ou de cassonade	500 ml
2	Œufs	6
5 ml (1 c. à thé)	De vanille	5 ml
50 ml (1/4 tasse)	De lait	125 ml
125 ml (1/2 tasse) de chacun	De grains de chocolat au lait et de chocolat blanc	250 ml de chacun

1. Préchauffer le four à 180°C (350°F).

2. Dans un bol, mélanger les farines, les flocons d'avoine, le bicarbonate de soude et la poudre à pâte. Réserver.

3. Dans un grand bol, à l'aide du batteur électrique, battre le beurre ou la margarine en crème. Ajouter graduellement le sucre jusqu'à ce que le mélange soit lisse. Incorporer en battant l'œuf et la vanille. Incorporer graduellement les ingrédients secs en alternant avec le lait. Ajouter les grains de chocolat.

4. Déposer la pâte à la cuillère (25 ml/2 c. à table) sur une plaque à biscuits recouverte de papier parchemin. Cuire au four pendant 15 minutes ou jusqu'à ce que les biscuits soient légèrement dorés mais encore mous au toucher. Laisser refroidir sur des grilles.

Pain aux canneberges

FAMILIAL (15 portions)		GROUPE (80 enfants)
250 ml (1 tasse)	De farine blanche non blanchie	3 l
250 ml (1 tasse)	De farine de blé entier	3 l
75 ml (1/3 tasse)	De sucre	1 l
15 ml (1 c. à table)	De poudre à pâte	125 ml
2 ml (1/2 c. à thé)	De bicarbonate de soude	50 ml
2 ml (1/2 c. à thé)	De sel	Une pincée
75 ml (1/3 tasse)	D'huile	500 ml
250 ml (1 tasse)	De purée de pomme	750 ml
125 ml (1/2 tasse)	De lait	Suffisamment pour obtenir la texture désirée
75 ml (1/3 tasse)	De canneberges séchées	Au goût

1. Préchauffer le four à 180°C (350°F).

2. Dans un grand bol, mélanger la farine, le sucre, la poudre à pâte, le bicarbonate de soude et le sel.

3. Dans un autre bol, à l'aide d'un batteur électrique, battre l'huile, la purée et le jus de pomme (et le yogourt pour le format de groupe). Incorporer graduellement le mélange d'ingrédients secs. Ajouter les canneberges séchées.

4. Verser immédiatement la préparation dans un moule à pain de 13 cm X 23 cm (5 po X 9 po) huilé.

5. Cuire au four pendant 1 heure ou jusqu'à ce qu'un cure-dent inséré au centre du pain en ressorte propre.

6. Laisser refroidir pendant 10 minutes. Démouler et laisser refroidir sur une grille.

La croustade est un grand classique. Pour augmenter sa valeur nutritionnelle en fibres alimentaires et en calcium, on peut remplacer les pommes par 250 ml de bleuets et 750 ml de rhubarbe.

Croustade aux pommes

FAMILIAL (16 portions)		GROUPE (80 enfants)
1 l (4 tasses)	De pommes lavées, pelées et râpées grossièrement au robot culinaire ou tranchées au couteau	80 à 100 unités (ou 4 x 100 oz de purée de pomme)
50 ml (1/4 tasse)	De jus de pomme	Suffisamment pour empêcher les pommes de brunir
GARNITURE CROQUANTE		
250 ml (1 tasse)	De flocons d'avoine	1 l
75 ml (1/3 tasse)	De farine	1 l
75 ml (1/3 tasse)	De cassonade	500 ml
75 ml (1/3 tasse)	D'huile végétale	500 ml

1. Préchauffer le four à 190°C (375°F).

2. Placer les pommes dans un moule carré de 22 cm (9 po). Arroser du jus de pomme.

GARNITURE CROQUANTE

3. Dans un bol, mélanger les flocons d'avoine, la farine et la cassonade. Ajouter l'huile.

4. Bien mélanger et étaler sur la garniture aux pommes.

5. Cuire au four pendant 45 minutes ou jusqu'à ce que la garniture aux fruits bouillonne et que le dessus soit doré.

Barres de céréales aux cerises

FAMILIAL (12 portions)		GROUPE (80 enfants)
250 ml (1 tasse)	De flocons de son (type Bran Flakes)	3,5 l
250 ml (1 tasse)	De flocons d'avoine	3,5 l
125 ml (1/2 tasse)	De céréales (type Special K)	2 l
125 ml (1/2 tasse)	De farine blanche non blanchie	1,75 l
125 ml (1/2 tasse)	De cassonade	1,75 l
75 ml (1/3 tasse)	D'huile	1 l
50 ml (1/4 tasse)	De sirop de maïs	175 ml
5 ml (1 c. à thé)	De bicarbonate de soude	50 ml
175 ml (3/4 tasse)	De yogourt aux cerises	175 ml

1. Préchauffer le four à 180°C (350°F).

2. Huiler un moule carré de 23 cm (9 po).

3. Dans un grand bol, mélanger les différents flocons, les céréales et la farine.

4. Dans une grande casserole, mélanger la cassonade, l'huile et le sirop de maïs. Laisser mijoter à feu moyen 5 minutes en remuant constamment.

5. Retirer du feu et ajouter le bicarbonate de soude en brassant. Ajouter rapidement le mélange d'ingrédients secs. Bien mélanger. Ajouter le yogourt et mélanger à nouveau.

6. Étendre la préparation dans le moule.

7. Cuire au four 20 minutes ou jusqu'à ce que le dessus soit doré. Laisser refroidir.

Pour le format de groupe, vous pouvez congeler la moitié des conserves de 100 oz (mélange de purée d'haricots rouges et de purée de pomme) pour une prochaine fois.

Gâteau musclo

FAMILIAL (18 portions)		GROUPE (80 enfants)
175 ml (3/4 tasse)	De haricots rouges en conserve rincés	50 oz
125 ml (1/2 tasse)	De cassonade	1,75 l
50 ml (1/4 tasse)	D'huile	750 ml
25 ml (2 c. à table)	De cacao	375 ml
50 ml (1/4 tasse)	D'eau bouillie chaude	750 ml
125 ml (1/2 tasse)	De purée de pomme non sucrée	50 oz
375 ml (1 1/2 tasse)	De farine blanche non blanchie	5,5 l
15 ml (1 c. à table)	De poudre à pâte	125 ml
5 ml (1 c. à thé)	De bicarbonate de soude	50 ml

1. Préchauffer le four à 180°C (350°F).

2. Huiler un moule carré de 23 cm (9 po).

3. Au robot culinaire, réduire en purée les haricots rouges. Ajouter la cassonade, l'huile, le cacao, l'eau bouillante et la purée de pomme.

4. Dans un grand bol, mélanger la farine, la poudre à pâte et le bicarbonate de soude. Ajouter le mélange d'haricots. Bien mélanger.

5. Verser immédiatement la préparation dans le moule carré.

6. Cuire au four pendant 30 minutes ou jusqu'à ce qu'un cure-dent inséré au centre du gâteau en ressorte propre.

7. Laisser refroidir et servir.

Gâteau double chocolat « Earth Shake »

« Je vous recommande Earth Shake, un excellent choix santé pour toute la famille ! »
Hélène Baribeau, **nutritionniste**

FAMILIAL (12 portions)

500 ml (2 tasses)	De farine à pâtisserie
5 ml (1 c. à thé)	De bicarbonate de soude
125 ml (1/2 tasse)	De sucre
125 ml (1/2 tasse)	D'huile
375 ml (1 1/2 tasse)	De boisson de soya Earth Shake au chocolat
15 ml (2 c. à thé)	De vanille
50 ml (1/4 tasse)	De pépites de chocolat
Glaçage	
75 ml (1/3 tasse)	De margarine
250 ml (1 tasse)	De pépites de chocolat

1. Préchauffer le four à 180°C (350°F).

2. Huiler et enfariner un moule carré de 23 cm (9 po).

3. Dans un grand bol, mélanger la farine, le bicarbonate de soude et le sucre. Ajouter l'huile, la boisson de soya Earth Shake au chocolat et la vanille. Bien mélanger. Incorporer les pépites de chocolat.

4. Verser immédiatement la préparation dans le moule à gâteau.

5. Cuire au four pendant 1 heure ou jusqu'à ce qu'un cure-dent inséré au centre du gâteau en ressorte propre.

6. Laisser refroidir. Démouler et laisser refroidir sur une grille.

Glaçage

1. Dans une casserole, faire fondre la margarine à feu doux. Incorporer les pépites de chocolat. Remuer jusqu'à l'obtention d'une pâte lisse.

2. Garnir le gâteau.

Variantes
Pour une pâte blanche utilisez la boisson de soya Earth Shake à la vanille.
Vous pouvez aussi faire cuire la pâte dans des petits moules à muffins !

EARTH SHAKE, DÉLICIEUSEMENT SANTÉ !
www.earthshake.ca

les idées
créatives

Neige magique

FAMILIAL

500 ml (2 tasses)	De fécule de maïs
250 ml (1 tasse)	D'eau

1. Dans un grand bol incassable, mélanger la fécule de maïs avec de l'eau. Le mélange est prêt quand il se décolle facilement du côté du contenant.

Pour les plus jeunes

Vous pouvez tout simplement leur offrir un peu de ce mélange et ils s'amuseront follement.

Pour les plus vieux

Vous pouvez leur faire observer la différence entre l'état liquide et l'état solide. Laissez le mélange dans le bol et il semble liquide. Mais s'il est frappé en plein centre, il n'éclaboussera pas.

Offrez à chaque enfant un peu du mélange en lui suggérant de faire une petite boule. Les enfants pourront constater que la boule reste une boule quand elle est pressée dans la paume de la main mais qu'elle redevient liquide au creux de la main lorsque le mélange n'est plus manipulé.

Le phénomène est que le mélange est un liquide quand il n'est pas sous pression mais il est solide quand on le presse.

Pâte de sel

FAMILIAL

500 ml (2 tasses)	De sel
625 ml (2 1/2 tasses)	D'eau
1 litre (4 tasses)	De farine tout usage

1. Dans un grand bol, mettre le sel et l'eau. Ajouter la farine et brasser.

2. Pétrir la pâte sur une surface couverte de farine. Laissez aller votre imagination et créez vos œuvres.

3. Cuire vos pièces au four à 120°C (250°F) pendant 2 à 3 heures. Après 2 heures de cuisson, vérifier souvent vos pièces pour éviter qu'elles ne brûlent.

4. Laisser refroidir vos œuvres. Peinturer si désiré.

Pâte à modeler

FAMILIAL

125 ml (1/2 tasse)	De sel
250 ml (1 tasse)	D'eau
15 ml (1 c. à table)	D'huile
250 ml (1 tasse)	De farine
10 ml (2 c. à thé)	De crème de tartre
5 ml (1 c. à thé)	De vinaigre (facultatif)
Au goût	Colorant alimentaire

1. Dans un bol d'un litre (4 tasses) allant au four à micro-ondes, mélanger le sel, l'eau et l'huile. Cuire à puissance élevée 3 minutes.

2. Dans un autre bol, mélanger la farine et la crème de tartre.

3. Incorporer le vinaigre et le colorant aux liquides chauds. Ajouter le mélange de farine et brasser vigoureusement.

4. Refroidir la pâte à modeler enveloppée dans une pellicule plastique (légèrement ouverte).

5. Pour la conservation de la pâte à modeler, nous suggérons de la recouvrir complètement d'une pellicule plastique et de la déposer dans un sac de plastique refermable.

Peinture texturée

MATÉRIEL

Grand bol

Savon à lessive Ivory

Eau

Papier construction noir ou bleu

1. Dans un grand bol, mélanger 4 portions de savon à lessive Ivory pour 1 portion d'eau.

2. Appliquer ce mélange sur le papier construction pour créer des scènes d'hiver.

Autres idées...

NEIGE ET COULEURS

Apportez un plat de neige à l'intérieur. Laissez les enfants regarder et toucher la neige. De quelle couleur est la neige ? Est-elle chaude ou froide ?

Ajoutez du colorant alimentaire de différentes couleurs, une à la fois. De quelle couleur devient la neige après chaque ajout de couleur ?

Déposez le plat de neige sur une table et regardez ce qui arrive quand les couleurs fondent les unes avec les autres.

Dans le même ordre d'idée, saupoudrez la neige de poudre « Jello » de différentes couleurs.

PEINTURE SUCRÉE

Mélanger de la poudre « Jello » avec un peu d'eau jusqu'à l'obtention d'une pâte de texture ressemblant à de la peinture à doigt.

Livres intéressants à consulter pour leurs recettes et leurs conseils nutritionnels

CARRIÈRE M. et VALIQUETTE M.-C. *De l'allergie aux plaisirs de la table*, Flammarion Québec, 2003. Livre de recettes pouvant convenir aux gens souffrant de multiples allergies. Cuisiner sans œufs, lait, poissons, noix, soya, blé, etc.

DESAULNIERS L. et LAMBERT-LAGACÉ L. *Le végétarisme à temps partiel*, Les éditions de l'HOMME, 2001. Ce livre nous propose de nouvelles idées de menus, ajoute de la saveur aux plats et contribue à améliorer notre état de santé.

ÉMOND I. et BRETON M. *À table, les enfants !* Flammarion Québec, 2002. et *À table en famille*, Flammarion Québec, 2006. Ces livres présentent des recettes et des stratégies pour bien nourrir les familles d'aujourd'hui.

LAURENDEAU H. et COUTU B. *L'alimentation durant la grossesse*, les éditions de l'HOMME, 1999. Les auteures proposent aux femmes enceintes une démarche alimentaire pour donner le meilleur d'elles-mêmes à leur enfant.

LUCAS M., BARIBEAU H. et LEPAGE M. *Santé la Gaspésie*, Malisan inc., 2004. En plus de faire connaître les effets bénéfiques des acides gras oméga-3, on y retrouve plusieurs recettes savoureuses composées de poissons et de fruits de mer.

Adresses de sites Internet à découvrir pour leur contenu informatif

www.hc-sc.gc.ca
Santé Canada.

www.vasy.gouv.qc.ca
Ministère de la Santé et des Services sociaux du Québec.

www.opdq.org
Ordre professionnel des diététistes du Québec.

www.aqaa.qc.ca
Association québécoise des allergies alimentaires.

www.extenso.org
Information nutritionnelle scientifiquement fondée.

www.viedefamille.ca
Entreprise spécialisée dans la présentation d'activités destinées aux familles québécoises. L'objectif, faire bouger les familles et créer des occasions de rapprochement.

www.meresetcie.com
Le magazine web Mères & cie se consacre à la maternité sous toutes ses formes; un véritable guide de survie pour la mère parfaite !

Index

Index (suite)

Bon de commande

3 MOYENS FACILES DE COMMANDER

Par internet :   www.duplaisirabienmanger.com

Par la poste :   Du plaisir à bien manger
                             1275, du Boisé
                             Boucherville (Québec)
                             J4B 8W5

Par télécopieur :   (450) 449-0304

Veuillez me faire parvenir _____ copie(s) du livre **Du plaisir à bien manger**
à 16,95 $ chacune (taxe incluse).
Ajoutez 4 $ de frais de livraison pour chaque exemplaire commandé.
Établir le chèque à l'ordre de Viséo Solutions.

Nom : _____

Adresse : _____

Ville : _____ Code postal : _____

Téléphone : (____) _____ - _____ Courriel : _____

FAMILLES

Avec notre style de vie effréné, nous prennons de moins en moins le temps pour préparer et manger des repas sains, ce qui a un impact sur notre santé et celle de notre famille. Visitez le www.duplaisirabienmanger.com et découvrez des outils pour vous supporter dans vos efforts pour adopter de saines habitudes alimentaires :

- Idées de menus et de recettes simples ;
- Compléments d'information sur le nouveau Guide alimentaire canadien ;
- Trucs pour développer et maintenir de saines habitudes de vie.

CPE et RSG

Vous avez à cœur la saine alimentation des enfants de votre milieu ? En tant que RSG ou gestionnaire d'un CPE, vous voulez rassurer les parents quant à votre engagement à développer de bonnes habitudes alimentaires chez les tout-petits. Visitez le www.duplaisirabienmanger.com et découvrez comment nous pouvons vous supporter dans vos efforts :

- Levée de fonds (activité spéciale, achat d'équipement ou de matériel éducatif, support aux gens dans le besoin, etc.)
- Ateliers de formation pour les gestionnaires, les cuisinières, les éducatrices et les parents ;
- Élaboration de menus et de politique alimentaire adaptés à vos besoins.

ÉCOLES

Vous voulez organiser une levée de fonds tout en évitant d'y consacrer trop de ressources ? Oubliez le chocolat, les t-shirts et autres gadgets inutiles ! Offrez plutôt un produit unique qui contribue à l'adoption d'une alimentation équilibrée : le livre de recettes *Du plaisir à bien manger... 80 recettes gagnantes pour les familles.* Visitez le www.duplaisirabienmanger.com et découvrez comment d'autres écoles ont amassé des milliers de dollars.

ENTREPRISES

Vous voulez réduire l'absentéisme et vos frais médicaux ? Visitez le www.duplaisirabienmanger.com et découvrez comment nous pouvons vous aider à supporter vos employés dans leurs efforts pour adopter une alimentation équilibrée.

Vous voulez supporter une bonne cause tout en évitant de consacrer trop de ressources à l'organisation d'une levée de fonds ? Visitez le www.duplaisirabienmanger.com et découvrez comment vous pouvez amasser des milliers de dollars en vendant la nouvelle édition du livre de recettes tout en encourageant l'adoption de saines habitudes alimentaires.